ご機嫌剛爺

人生は、面白く楽しく！

逢坂 剛

集英社

はじめに

身辺雑記ならともかく、自分のこれまでの人生を見つめ直すような原稿は、気恥ずかしくてとても書けない、と思っていました。

しかし年を重ねてくると、自分の将来よりも過去の方が、重みを持つようになります。それを顧みるとき、自分のたどってきた楽しい人生(!?)が、いくらかでも後輩諸氏の参考になるとすれば、あえて口を閉ざすこともないでしょう。

さいわい、わたしのおしゃべりに耳を傾け、それを文章にまとめてあげましょうという、聞きじょうずの女性編集者が現れたおかげで、このような本ができあがった次第です。

最初はただの自慢話にならぬよう、というよりはむしろ、〈自慢にもならぬことを自慢げに話す〉ことだけはやめよう、と思っていました。ところが、できあがった本を読み返すと、自慢話以外の何ものでもないことが、分かったのです。考えるまでもなく、自分で書くにせよひとさまの手を借りるにせよ、自分のことをしゃべり散らすのは、すべて自慢話と見てよい。読んでいただければ分かりますが、自慢話はこうやってするものだという、よい見本ができあがりました。しかも、この程度のことなら「おれにだってできる！」と、読者の励みとなるような自慢話が、次から次へと乱発されるから笑ってしまいます。これはもう、しゃべった当人が言うのですから、間違いありません。

わたしが、挫折しても落ち込んだことがない、とうそぶくのは、たぶん実際には挫折していないからに、すぎないでしょう。ともかく、泣きながら一生を過ごしても一つの人生、笑いながら過ごしても一つの人生です。だとしたら、笑いながら過ごした方が、楽しいに決まっています。とても笑ってなんかいられない、という悲観主義的な読者には最後の手段、〈泣き笑い〉という手があることを、指摘しておきましょう。能天気と言われれば、いささか忸怩《じくじ》たるものがありますが、ひとさまに迷惑をかけないかぎり、それでよしとするのがわたしの身上です。そもそも、誠実にして清廉潔白な人生など、めったにあるものではありません。わたしなどは、家内に怒られっ放しの人生ですが、それがたまたまひとさまでないのが、せめてもの救いといえましょう（もちろん以前は他人でしたけど）。まあ、家内にとっては大いに迷惑でしょうが、これも縁だと思ってがまんしてもらうしかありません。わたしだけでなく、身に覚えのある人も少なくないでしょう。そう、あなたのことを言っているのです！

そんなわけで、この本はぜひあなたの奥さんにも（場合によってはご主人にも）、読ませてあげていただきたい。

本文でもとりあげましたが、英語では死にかけている人に「しっかりしろ！」とか「がんばれ！」とか呼びかけるとき、“Stay with me!”といいます。「おれと一緒にとどまれ！」とは、いかにも心強い励ましの言葉ではありませんか。

この本に、そういう言葉の力が少しでもこもっていれば、読んでいただいた甲斐がある、というものです。

では、ステイ・ウィズ・ミー！

ご機嫌剛爺　人生は、面白く楽しく！

目次

第六章

〝終活〟より〝修活〟だ！

第一章

画家の父、母の早世、二人の兄

～探求心は職人気質の父から、勉強は秀才の長兄から、遊びは多趣味の次兄から学ぶ

第一章
画家の父、母の早世、二人の兄

「小説家」の原点は画家の父

小説家・逢坂剛《おうさかごう》が生まれた原点は何かとさかのぼれば、親父の記憶に行き着きます。

わたしの父は、中一弥《なかかずや》という挿絵画家でした。昭和初年から平成後年にかけて、時代小説の挿絵を描いていました。中一弥という名は知らずとも、池波《いけなみ》正太郎《しょうたろう》の作品でその絵を見たことがある人は、多いかもしれません。

あとになって分かったことですが、親父が師事した小田富弥《おだとみや》という画家の何代か前の師匠をたどると、幕末の浮世絵師・歌川国芳《うたがわくによし》にさかのぼります。つまり、親父は江戸の浮世絵の伝統を継ぐ、数少ない画家といえそうです。

父は二〇一五年に、百四歳で大往生。九十歳を過ぎても、新聞小説（朝日新聞全国版の朝刊小説で、乙川優三郎《おとかわゆうざぶろう》の「麗しき花実」）の挿絵を描いていたから、生涯画家の人生を全うしたと言っても、言いすぎではないでしょうね。物心ついたときから、親父の姿といえば、部屋の隅の仕事机にかじりついて、一心に絵を描いている背中でした。

　母はわたしが一歳三カ月のときに結核で亡くなっていたので、遊び相手になってくれたのはもっぱら二人の兄たち。勉強を教えてくれたのは、八歳離れた長兄でした。親父はひたすら絵を描いていて、担当する編集者が、絶えず自宅に出入りしている。そんな環境で育ったわけです。

中一弥氏による装画の池波正太郎『剣客商売』（新潮文庫刊）。池波作品では、このほかに『鬼平犯科帳』『仕掛人・藤枝梅安』などを手がけた。

　親父から、絵を教わったことはないし、そもそもわたしには画才がありません。受け継いだのは、〝探究心〟というものかもしれませんね。親父は、明治四十四年の生まれで学はなかったけれど、知識欲は底なしでした。

第一章
画家の父、母の早世、二人の兄

ことに、挿絵を描くための時代考証には妥協がなくて、少しでも疑問があると、バスに乗って神田神保町の古書店まで、資料を買いに行く。「一緒に来るか」と言われたら、何か本を買ってもらえることを期待して、喜んでついて行きました。親父は、小遣いを気前よく渡す親ではありませんでしたが、本だけは好きなだけ買ってくれました。これがわたしの本好き、特に古書好きを形作った、原体験でしょう。

古書店にはいると、親父は棚を熱心に見て回って、昔の草双紙や人情本を買っていました。一時は、江戸の書き文字がぎっしり綴《つづ》られた、井原西鶴《いはらさいかく》の本なんかを探しては、集めていましたね。古地図が特に好きで、多いときは八十枚以上持っていました。小学校しか出ていなかったのに、江戸の書き文字まで読めるようになっていたのは、たいしたものだと思います。わたしもだいぶ年を重ねてから、ようやく読めるようになってきましたが、すらすらと簡単にはいかない。親父から、もうちょっと習っておけばよかったと、今になって思うわけです。

親父の、調べ物に対する熱意は、並々ならぬものでした。小説に登場する、ほんのワンシーンを描くためだけに、とにかく大量の資料を調べる。中には貴重な本もあって、子どもの目から見ても明らかに、安くはないと分かる。おそらくその分の画料と、変わらないくらいの資料を買っていたんじゃないか、と思います。だからどんなに稼いでも、すぐに資料代に消えていく。

逢坂剛『重蔵始末』（講談社文庫刊）。〈重蔵始末〉シリーズは、親子のコラボレーションとなった。文庫全八巻すべて中一弥氏の装画。

「ばかばかしいな。それならもっと小遣いをちょうだいよ」なんて心の中で思っていましたが、なんてことはない、今の自分も、似たようなことをやっている。

小説家としてデビューをしたころに、ふと「いつか自分の小説に、親父が挿絵を描く日が来るだろうか」と考えることはありました。後年、〈重蔵始末〉シリーズでそれが果たせたときは、うれしかったですね。

連載が決まったあと、「作品の構想を練るから、付き合ってくれないか」と年老いた親父を誘い出し、古地図を手に東京の街を並んで歩いた一日のことが、懐かしく思い出されます。

母の思い出

早世した母の記憶はありません。亡くなったのは、わたしが一歳と三カ月のときだったので、どう頭を捻《ひね》っても思い出せないのです。「母がいない日常」が、当たり前の環境で育ったので、寂しいと思ったことはありませんでした。八歳上の長兄は、母の記憶が残っていましたから、やはり恋しかったようです。わたしは、周りから「かわいそうだね」と同情されたところで、「最初からいなかったし、そう言われてもな……」と、とまどったくらいでした。母がいたらよかったのにな、とふと思う瞬間が訪れるようになったのは、むしろ年をとってからですね。

母は、親父とは兄弟子・妹弟子の関係で、やはり画家でした。結婚してからは、主婦業に専念したそうですが、それまでは師匠である売れっ子画家、小田富弥先生が描いた下絵の衣服に、模様を書き加えたりしていたらしい。

その作品の一部は、親父の遺品から出てきました。昭和四年の、愛媛新聞の連載小説の挿絵だとかで、計算すると母が十五歳のころにあたる。ちょっと信じがたいことなので、もしかしたら父の記憶違いかもしれません。

写真を見ると、モダンな顔立ちのな

若かりしころの両親。画家・小田富弥門下の、兄弟子・妹弟子の関係だった。

かなかの美人で、なぜあの親父にこんな美女がと、首を傾げたくなるほどです。親父の才能に、かけたんですかね……。

　母が病気で亡くなってから、父は苦労したはずですが、湿っぽい話はほとんど聞いたことがありません。男手ひとつで、三人兄弟を育てるのは大変だったでしょうが、近所のおばさんがご飯を作りに来てくれたり、画稿を取りに来る編集者が、待っている間に外で遊んでくれたりと、何かと世話をしてくれる人がいて、賑やかに暮らしていましたね。

　あの時代には、メールもファックスもありませんから、編集者は作家や画家の自宅（仕事場）に原稿、画稿を受け取りに来るのが普通でした。約束の時間にやって来たのに、親父の絵はまだ仕上がっていなくて、「もうちょっ

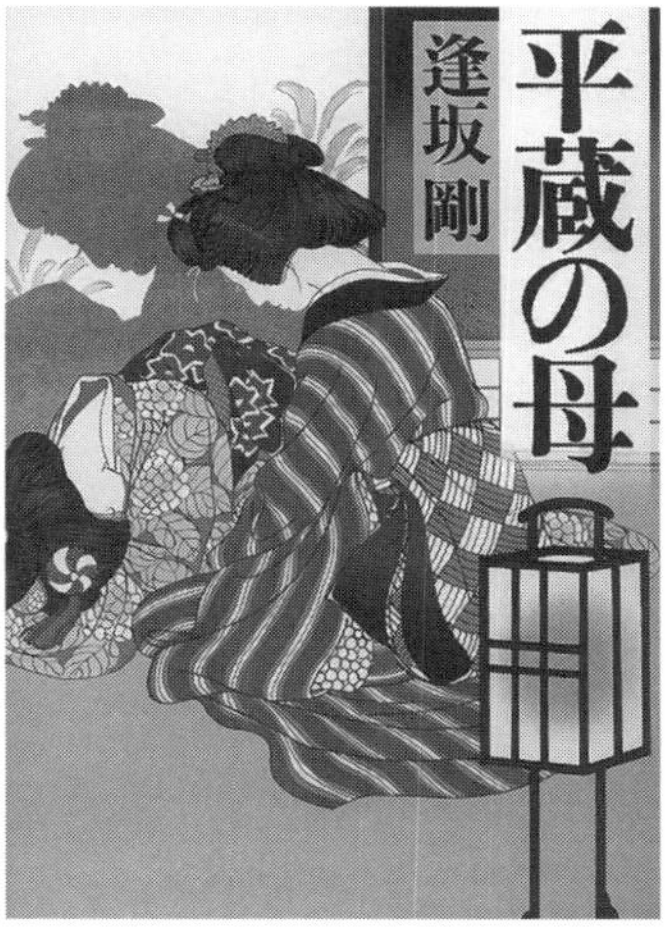

〈火付盗賊改・長谷川平蔵〉シリーズ四作目『平蔵の母』（文藝春秋刊）のカバー装画は、母、中みさを氏による。原画に、画家・安里英晴氏が彩色した。

と待って」と待たされる。さらに「朝までかかるから、泊まっていって」と布団を敷くことになったりする。一緒に食事をすることも多かった。昔はそんな、大らかな温かさがあちこちに生きていた、いい時代でした。

六畳一間の男四人暮らし

わたしが生まれたのは、一九四三年。親父は終戦の半年ほど前に応召し、奈良の航空隊に配属されたらしいのですが、絵描きだったおかげ（？）で、軍事訓練はあまり受けずにすんだ、と話していました。

その間、子ども三人は岡山県に、疎開に出されました。兄二人は伯父がやっていた鉱山の寮へ、わたしは比較的裕福なお百姓さんのもとに、預けられました。幸運にも、卵食べ放題の栄養豊富な食環境に、恵まれたそうです。まったく記憶はありませんが、おかげで丈夫な健康体に育ちました。

戦争が終わってからも、すぐに家族再集合とはなりませんでした。挿絵の仕事がしばらく途絶えた父は、山形で旅館を営む知人を頼って住み込みで絵を描き、それを売ることで当面の生活費を稼いだそうです。ある程度貯まったところで、家族を呼びもどして東京へもどったわけです。ようやく、家族が揃っての新生活が、始まりました。

　このころには、母親はすでに亡くなっていましたから、男四人での暮らしです。住まいは、文京区駒込千駄木町の、六畳一間の新築アパート（だったそうです）。台所の流しはついていたけれど、トイレは共同。決して裕

父に抱っこされた、一歳過ぎのころ。応召間際の、唯一の親子写真。

福ではありませんでしたが、とにかく家族での暮らしが始まったことに、子ども心にもほっとしたことを覚えています。

「裕福ではなかった」と言いましたが、あのころはものがない時代でしたから、収入の多寡によらず、生活レベルにそれほど差はなかった。テレビもない、携帯電話もない、ゲームもないから、金持ちも貧乏人もみんな似たような生活で、子どもたちは一緒になって、遊んでいたんですね。

アパートのすぐ隣に、汐見《しおみ》小学校がありました。わたしの前には、歌手で

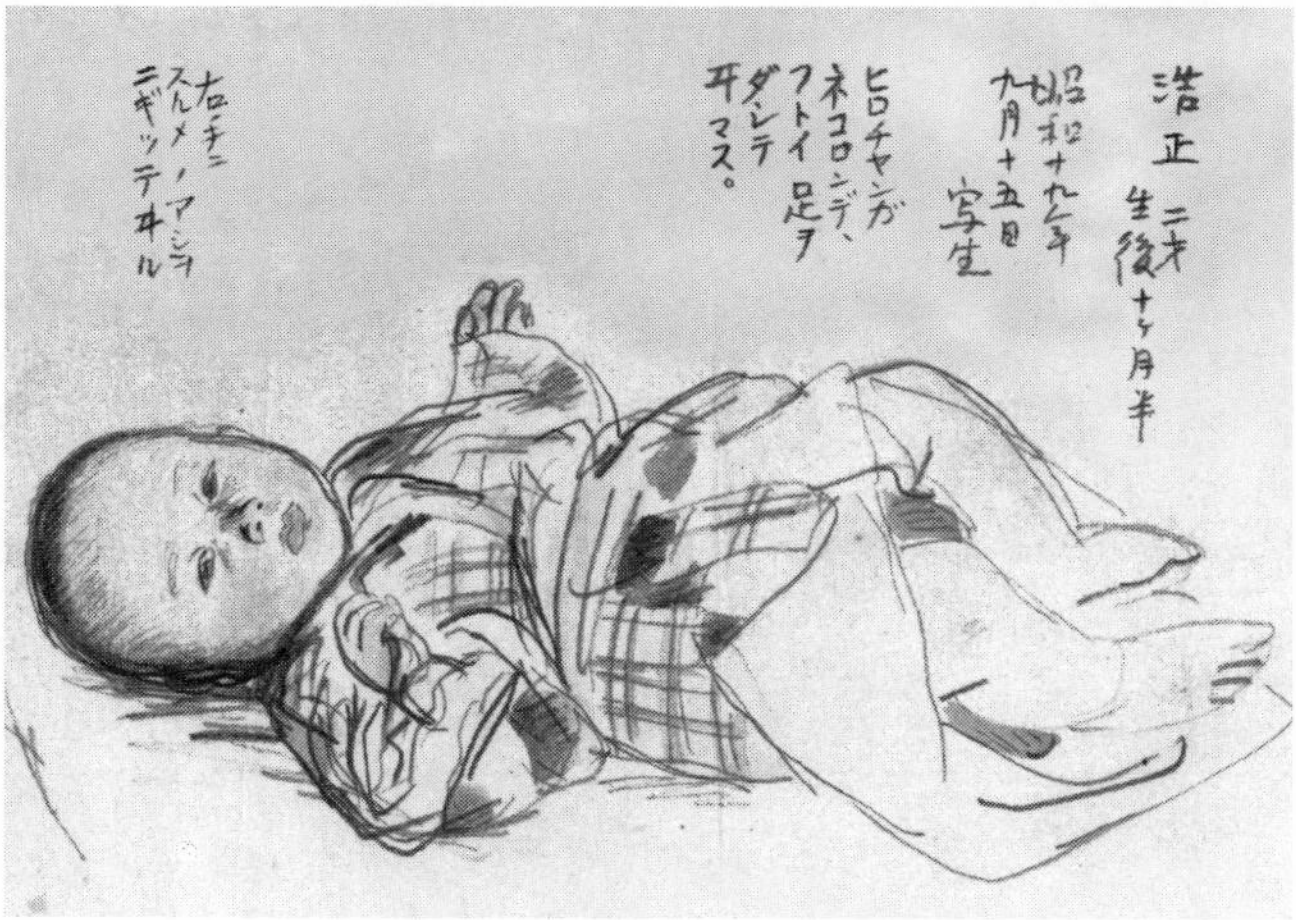
浩正 二才 生後十ヶ月半
昭和十九年九月十五日 写生
ヒロチャンガネコロンデ、フトイ足ヲダシテヰマス。
右テニスルメノアシヲニギッテヰル
中一弥氏による、生後十カ月のころのスケッチ。「ヒロチャンガネコロンデ、フトイ足ヲダシテヰマス」とある。※逢坂剛氏の本名は中浩正（なかひろまさ）氏。

第一章
画家の父、母の早世、二人の兄

幼少期、自宅そばの路地で。背景の崖の上の向こうは森鷗外の〈観潮楼〉。

女優の楠《くすのき》トシエさん、新劇の奈良岡朋子《ならおかともこ》さん、少しあとに吉本《よしもと》ばななさんが出た、名門（？）です。今は少子化で、ずいぶん生徒が減ってしまったと聞きますが、当時は千五百人ほどの子どもたちが通い、簡素な校舎ながら生命力に溢《あふ》れる空間でした。

アパートと小学校の境に、コンクリート塀が立っていて、下の方に穴があいていました。その穴をくぐれば、徒歩ゼロ秒で校庭に到着！　おかげで、一度も遅刻したことがありません。

兄二人から教わったこと

二人の兄とは、四つずつ年が離れていたこともあって、長兄とは喧嘩した覚えがありません。大人になってからも付かず離れず、程よくいい関係でやってこられたと思います。

第一章
画家の父、母の早世、二人の兄

長兄は頭の出来がよくて、東京大学に進みました。わたしが小学六年生のころ、長兄は大学生でしたから、よき家庭教師となってくれました。算数が苦手だったわたしに、一次方程式などを叩き込もうと、熱心でした。開成中学校を受験して合格できたのは、間違いなくその指導のおかげでしょう。

長兄は、勉強を教えるときはそこそこ厳しくて、こちらがちょっと怠けると、ぴしゃりと叱る。でも、叱りながらときどきどもるものだから、子どものわたしはおかしくて、しょうがないんです。鉛筆を握りながら下を向いて、必死に笑いをこらえて、こらえて……。ついにこらえきれなくなり、口はなんとか押さえたものの、鼻の穴から鼻水が噴き出して、ノートにぶわっとやってしまった。「しまった！」と一瞬、身を固くしましたが、兄は弟が突然くしゃみをしたものと勘違いして、「お前、大丈夫か」なんて気遣ってくれる。それがまたおかしくて、笑いが止まらなくなってしまう。そんな六十年以上昔の出来事を、いまだに鮮明に覚えているんですね。

一方で、下の兄の方は、長兄ほど秀才タイプではなかったけれど、いろんな遊びを教えてくれました。野球や西部劇ごっこ、ギター、お話作りなど、のちの人生につながる趣味のきっかけをつくってくれたのは、この次兄です。

ただし、次兄は多少飽きっぽいところがあって、何か始めてもあまり長続きしない。一方のわたしは、けっこう一途に続ける性格。始める兄とあとを引き継ぐわたし、そんな違いがだんだん明らかになりましたね。いずれにせよ、わたしは非常に恵まれた立ち場にいました。

秀才の長兄から、勉強を教わる。多趣味な次兄から、勉強以外の遊びを学ぶ。さらに親父からは、職人気質《かたぎ》の探究心を引き継ぐ。まさに、家族全員の薫陶《くんとう》を受けて、わたしという人間ができあがったわけです。

好きなことにお金をつぎ込む癖

あまり無駄遣いはしませんが、好きなことにはけっこう注ぎ込む方です。

なぜそうなったかと考えると、やはり幼少期の育った環境が、強く影響しているのだろうな、と思うわけです。画家だった親父は、仕事があるときとないときとで、収入のアップダウンが激しかった。

新聞連載が始まると、日銭がどんどんはいって、大企業の重役並みの月収になる。しかし、連載が終わった途端に、ぱたっとお金がはいらなくなる。それが長びくと、手持ちの資料や古地図を売って、生活費にする。それでも足りなくなると、出費を抑えるために家賃が安い郊外へ、引っ越す。

そうやって、家族が暮らす街も、文京区の千駄木から豊島区の西巣鴨、さらに練馬の大泉学園へと、変わりました。今はそんなことはありませんが、当時の大泉学園は〝田舎〟と思われていて、編集者の足が遠のいたらしい。「これじゃ、来る仕事も来なくなる」と、またちょっともどって東中野へ……という具合でした。そのたびに、編集者が引っ越しの手伝いにやって来る。これは、ありがたかったですね。

そもそも、転居で忙しくなる原因は、親父の金銭感覚にありました。羽振りがいいときに、貯蓄しておけばいいものを、それはやらない。家計をあずかる妻がいなかったからでしょう。

とにかく、稼いだお金は全部、資料に消えてしまう。子どもたちの、小遣いにも回してくれないから、羽振りのいい同級生との違いに、がっかりすることもありました。特に、開成中学にはいってからは、お金持ちの同級生もいますし、月に一万円の小遣いと聞いて、目を丸くした覚えがある。「こっちは七百円だぞ、とほほ……」なんてしょんぼりするわけです。ともかく母親さえいたら、こんな不安定な暮らしには、ならなかったでしょうね。

とはいえ、そんな金遣いも含めて、親父は〝好きなことに没頭する姿〟を、見せてくれました。「勉強しろ」とか「将来はこの職業につきなさい」とか言われたことは、一度もありません。ただ生涯、好きな仕事に夢中になる人生を、自ら貫く。それが、何よりの教えだった、と思います。好きな絵で、長寿を全うした親父ほど、しあわせな人生はめったにあるまいと、羨ましくもあります。

ふるさとは神保町

東京生まれ、東京育ちのわたしにとって、「ふるさと」と呼べる場所は浮かびません。あえて言うならば、今も仕事場を構えている、ここ神田神保町ですね。日本一、というより世界に冠たる古書店街です。

わたしの〝神保町歴〟はかれこれ、七十年になります。小学生のころから、資料探しに繰り出す親父に連れられて、よくかよったものでした。中学生にな

昼食をとりがてら、日に一度は古書店を覗く。掘り出し物に出会えることも、しばしばある。

ると、同級生と誘い合って、あるいは一人で行くことも増え、この街にある古書店はほぼ、制覇したでしょう。

文学書、歴史書、美術書、洋書、音楽書といった、個性豊かな専門古書店がひしめく、知を探索できる森。今でも百三十店が集まるといいますが、当時はもっと賑わっていました。店の顔ぶれも、当時と比べてだいぶ替わってしまいましたが、一誠堂書店を筆頭に明治から続く老舗も少なくないし、長年かようちに店主が代替わりした店も、いくつかありました。

大学があった場所も、お茶の水と神保町に近く、一九九七年まで勤めた博報堂の社屋も、当時は神保町直近の錦町にありました。その後、三度ほど移転しましたが、やはりこの街が恋しくて、退社後は神保町で執筆する暮らしを選んだ、というわけです。

神保町は、食の街でもあります。本屋に負けじと、昔ながらの佇《たたず》まいを残す喫茶店の「さぼうる」「ラドリオ」、中華料理の「新世界菜館」「揚子江《ようすこう》」、それに今はなくなりましたが、ロシア料理の「バラライカ」など、よくかよったものです。特にラドリオは、大学時代から入り浸り、直木賞の候補になったときには、二度とも待機した場所なので、思い入れがありますね（二度目で無事に受賞したからよかった！）。

ここで、ウィンナコーヒーを飲み、買ったばかりの本をめくりながら、静かな高揚感に浸るのは、至福のひとときでした。

今は、若い人に向けたメニューも増えて、だいぶ客層が変わったようですが、昔は風呂敷包みを持って、コーヒーを飲む川端康成《かわばたやすなり》の

直木賞の選考待ちをした喫茶店「ラドリオ」にて。コーヒーを飲みながら、買ったばかりの本を開くのは、至福のとき。

姿もあり、文化の薫りに満ちた空間だったのです。

そんなに好きなのに、なぜ神保町に住まないの？　とよく聞かれますが、惚れた街には毎日かよう方が、刺激があって楽しい、というのが本音です。

トンカツがご馳走だった

食事処といえば、子どものころのご馳走の、いちばんの思い出として浮かぶのは、「トンカツ」です。神保町歴も長いのですが、トンカツ歴も長いのです。大人になってから、トンカツがうまいという評判の店には、だいたい足を運びました。それでも、やはり忘れられない味は、子どものころに家族と行った、浅草の洋食店「ヨシカミ」のトンカツでしょう。親父は、年がら年中家にこもって絵を描き、出かけるといえば古書探索くらいで、めったに子どもたちと遊ぶことはなかった。それでも、正月だけは浅草寺《せんそうじ》までタクシーで出かけて初詣をし、その帰りにヨシカミでトンカツを食べて、人形町にあった寄席《よせ》「末《すえ》廣《ひろ》」へ行くのが、お決まりのコースでした。

今も、「うますぎて申し訳ないっス！」の看板でお馴染みのヨシカミは、このころから人気店で、メニューはハヤシライスやらエビフライやら、いろいろあります。わたしは、初めて頼んだトンカツに魅了されて以来、ずっとトンカツ一筋。正式には「ロース・カツレツ」（現在の定価は千三百五十円也）という名だったかな。

四十代のころ、父と。撮影／飯窪敏彦（文藝春秋）

ある年の正月、いつものようにヨシカミに行ったとき、「お前はいつも、同じものばかりじゃないか。たまには、ヒレカツでも食べたらどうだ」と親父が言うんです。今思えば、「ちょっといいものを食べてもいいんだぞ」という意味だった、と分かります。それなのに、ヒレカツの方が高級で値段も高い（正式には「ひれのカツレツ」同じく千六百五十円也）、と知らなかったわたしは、「トンカツじゃないといやだ」と意地を張って、いつものロース・カツレツを食べた、という記憶があります。

この意地はずっと張り続けていて、今でもヒレは選ばずロース一筋。脂身を、うまく揚げる料理人の腕があれば、ロースはヒレに勝るのです。さらに、衣は薄く、ぴたりと肉に張り付いたトンカツが好みで、どんなに評判でも衣のはがれやすいトンカツにはなびかない。この好みは、生涯変わりませんね。

第二章

ハメットと出会った十代、開成での六年間、ギターまみれの大学時代

〜自主性を学生生活から、創作姿勢をハメットから、修練の達成感をギターから得る

自主性を学んだ開成時代

兄の熱血指導の甲斐あって、成績もだんだん受験レベルに上がってきました。本をよく読んだので、国語の点数はもともと悪くなかったのですが、てんでだめだった算数の点数を、兄が引っ張り上げてくれたわけです。

区立の中学校ではなく、開成中学校を受けることになったのは、うちによく来ていた親父の担当編集者が、そこの出身だったからという単純な理由です。親父は、自分に学がなかったので、画才のない息子たちだけはなんとかしたい、と考えていたのでしょう。

「どこか受けさせるのにいい学校はないか。そういえば、きみは開成の出身だったな」

「ああ、開成はなかなか、いい学校でしたよ」

そんな、編集者とのやりとりで、受験が決まったようです。

今でこそ、毎年の東大合格者数のトップを堅持する開成ですが、わたしがはいったころの誇りは、明治四年創立という古い伝統でした。現在のように、東大合格者数だけで話題になるのは、不本意です。ＯＢはもちろん、今の生徒たちも同じ気持ちでしょう。

さて、何番の成績で通ったのかは知りませんが、とにかく合格したのは確かです。「たいして勉強しなくてもはいれたんだから、入学してからもそんなにがんばらなくて、大丈夫だろう」と油断していたら、最初のテストはクラスの六十人中四十二番でした。ビリではないが、下から数える方が早かった。

そこから、「ちょっとは勉強しないとな」という気持ちが芽生えて、真面目に勉強した結果、成績は見事に急上昇！　……とはなりませんでした。開成という学校は、何ごとも本人の意思に任せるという校風で、担任を含めて教師から「勉強しなさい」と言われたことは、一度もありません。

勉強するもしないも、本人の自主性に委ねる。授業中に、居眠りしようが好きな本を読もうが、めったに注意はされない。他の生徒の、邪魔をすることだけは許されなかったけれど、そうでなければ何も言われず、自分の意思と責任でわが道を進めばよし。そんな精神が、伝統として生きる校風は、〝自己流〟を大事にしたい人間には、非常に相性がよかったですね。

勉強しない生徒は、学校の成績はもちろん落ちますが、だいたい地あたまはいいから、勉強以外のことで才能を発揮する。卒業後に、意外な分野で活

開成の運動会では、応援団に（中央の坊主頭が著者）。各組が熱く競う伝統的な催しは、今も引き継がれている。

躍した同窓生は、何人もいます。例えば、演出家の蜷川幸雄《にながわゆきお》、オペラ歌手の岡村喬生《おかむらたかお》、作曲家の猪俣公章《いのまたこうしょう》、フラメンコ・ギタリスト（!）の関根彰良《せきねあきら》（開成から東大!）、クイズプレーヤーでタレントの伊沢拓司《いざわたくし》などなど。わたしも、どちらかというとそっちのタイプの生徒で、中学のころから授業中に小説らしきものを、書き始めていました。確か、初めて書いた小説は、アルセーヌ・ルパンまがいの活劇ものでした。

当時かよっていた生徒は、下町の商売人の子弟が多くて、山手《やまのて》の医者や、弁護士の息子たちがかよう麻布学園とは、ちょっと雰囲気が違った。校風、気質を含めて、今でもよきライバルだと思います。

たまたま、席が隣になった同級生のS君は、わたしが書いた小説に対して「女の描き方がなっていない」などと、いっぱしの〝批評〟をくれたりして、今でも交流が続いている。創作の基礎を養うには十分の学舎《まなびや》でした。

「文才があるね」。背中を押した教師のひとこと

今でもよく覚えているのは、中学二年生のときの作文の時間で、国語の担当教師だった大井先生から言われた、ひとことでした。

その日の授業は作文の演習で、お題が出された上で、四百字の原稿用紙二枚分の作文を書く、というもの。わたしは、十五分もしないうちに書き上げてしまって、時間は余るし、なんとなく書き足りない。そこで、教卓まで行って原稿用紙をもう一枚もらい、周りが四苦八苦しているうちに、計三枚書き上げたんです。

それを大井先生に提出すると、仕方がないから先生も先に読み始める。そして、しばらくしてふと顔を上げ、「きみ、なかなか文才があるね」と言ってくれたんですね。それがとてもうれしくて、小説を書く後押しになったことを、

よく覚えています。

その思い出話を、何十年後かのクラス会で大井先生に伝えたところ、「そんなこと、言った覚えがないな」。これには、思わず笑っちゃいましたね。往々にして、言葉というものは言った本人が、いちばん忘れやすいものなんですね。

とにかく、これが自信の種火となって、わたしを小説の世界へ向かわせたのかもしれません。ただ、そのせいかどうか分かりませんが、試験が近づくと無性に、小説が書きたくなってしまうのは、困ったものでした。


「逢坂剛」という、ペンネームを使い始めたのは、高校時代のことでした。最初は、主人公の名前だったんですけどね。小説を書いたノートを、クラスで回していると、後ろの方から「逢坂剛ってだれだ?」「三文文士の名前だよ」なんて会話が、聞こえてきたりしました。ただし、このころは本気で小説家になろう、なんて覚悟はさらさらなかった。単に好きで、面白かったから書いていた。純粋に、楽しみとしての営為でした。

ハメットという衝撃

小説を書く上で、指針となった人物といえば、なんといってもダシール・ハメット。一八九四年生まれの、アメリカのハードボイルド作家です。他の作家と何が違ったのかというと、「独自のスタイルによる、新しい小説を生み出した」という点に尽きます。わたしは、その姿勢と作品世界に傾倒し、大学時代にはハメットの手法で、習作に挑むほどでした。

もともと探偵小説が好きで、小学生のころには『奇巌城《きがんじょう》』に代表される、ルパンものに夢中になりましたし、中学にはいるとアガサ・クリスティ、ディクスン・カーなども、読破しました。たまたま読んだ、ハメットの『マルタの鷹』に衝撃を受けたのは、中学三年のときでした。

この作品でハメットは、登場人物の内面の心理描写を一切せず、徹底した客観的視点で、登場人物の行動と会話を、克明に報告するスタイルを貫いていました。すべての場面が、スクリーンに映し出された映画を見るように、書かれているのです。場面に対する感想は、一切述べない。それでいて、人物の性格や心情を行間から見事に浮き上がらせ、物語を展開させていく、出会ったことのない技法と筆力に、電撃的なショックを受け、そのままこの作家に、のめり込んでいきました。

以来、さまざまな人の作品を読んできたけれど、やはりハメットは画期的な作家だった、と言えるでしょう。今ではハメットの三人称作品を、「わたし」という呼称を地の文に遣わない、〈ハメット自身の一人称小説〉、ととらえています。

クリスティやヴァン・ダインならともかく、当時ハメットにのめり込む中学生など、まずいなかったでしょうね。しかし、なぜハメットにこれほど、惚れ込んでしまったのか。それはきっと、作品そのものの面白さのみならず、「だれもやったことのない技法に挑んだ」というオリジナリティ、開拓精神という強い魅力があったからなのだ、と思います。ハメットの作風を、そのままなぞったわけではありませんが、オリジナリティにこだわる姿勢は小説家としての、わたしのスタイルとなりました。

英語が上達したわけ

学校の授業に熱心だった記憶はありませんが、国語と英語だけは特に勉強せずとも、成績を落としたことはありませんでした。

日本語、外国語という区分に限らず、言語というものが好きなのでしょう。英語のほか、のちにスペイン語も独学で習得しました。語学学校へ行く時間もないし、参考書とカセットテープの講座だけで、なんとかやりました。役に立ったのは、もっぱら小説と映画でした。

例えば、英語力をつけたきっかけは、チャンドラーやハメットの小説でした。好きな作品を、日本語の翻訳で読みながら、気のきいたセリフに出会うと、その原文が知りたくなる。しかし、ネットもない時代の洋書の入手法には、限りがあります。日本橋の丸善で、原著のペーパーバックを見つけたときには、歓喜しました。持ち帰った横文字の本をめくり、辞書を引き引き読むうちに、自然と英語力が身についた、というわけです。

清水俊二《しみずしゅんじ》や、双葉十三郎《ふたばじゅうざぶろう》の名訳と照合しながら、「なるほど。あのしゃれたセリフの原文は、こうであったか！」と納得する。そして、気のきいた文句を見つけては、ノートに書き写す。特に、チャンドラーの文章は、凝っていました。

そんな作業に没頭していると、いつの間にかオリジナルのイディオム帳が、できていたんですね。記憶するこつは、調べ直すとき読みやすいように、字を丁寧に、ゆっくり書くこと。指先と脳は、つながっているといいますし、集中して時間をかけて手を動かすことで、記憶が定着しやすくなります。

いわゆる、試験勉強としての英語学習は、あまりやった覚えがありません。

しかし、好きで覚えようとした単語や語句は、するすると頭の中にはいってくる。好きこそものの上手なれ、とはよく言ったものですね。

ちなみに、このオリジナルのイディオム帳は、今も大事に保管していて、ときおり見返します。すると、あのころのわくわくした高揚感も、一緒に思い出せる。なかなか、捨てられるものではないですね。

永遠の青春、西部劇

高校時代にはまったものといえば、映画。特に、全盛期のハリウッド西部劇に、夢中になりました。

映画館にかよっては、同じ作品を繰り返し見て、登場人物のセリフや拳銃さばきを、目に焼き付ける。一回の入場で、続けざまに三回見たこともあります。

『無頼《ぶらい》の群《むれ》』『ゴーストタウンの決闘』『必殺の一弾』『決断の3時10分』『ヴェ

ラクルス』……名作中の名作、と言えるこれらの作品は、ＤＶＤも含めて、何十回（！）見たかしれません。特に、グレン・フォードの早撃ち、バート・ランカスターの華麗なるガンプレーに、どれだけあこがれたことか。

自宅でも早撃ちの練習に余念がなかった。好きなものは、とことんやる性分。

わたしは何かに強烈にあこがれると、真似したくなる癖があります。モデルガンを借りて、休み時間に学校の教室で早撃ちの競技をやる、という遊びも、はやらせました。モデルガンを持っていないやつは、針金を折り曲げて拳銃に見立て、ベルトやポケットに挟んでガンベルト代わりにする。

「ドロー（抜け）！」という合図とともに、ガン（もどき）をさっと抜いて、「バーン！」と撃ったふりをする。学校でも、どっちが早かったかを競う、トーナメント戦をたかだか十分ほどの休み時間を惜しまずに、やっていた。あまりの盛り上がりに、授業に支障をきたすということで、教師から「早撃ち禁止令」が出されるほどでした。

とにかく、わたしは何かに夢中になると、どこまでものめり込む癖があります。高校三年のときには、文化祭の

開成の〈早撃ち競技〉仲間。（右から二番目が著者）。

プロデューサーに立候補して、「西部劇の部屋」を企画。神保町の古書店で、西部劇のプログラムやポスターを大量に買い集めて、教室の壁一面を飾りました。そこでの呼びものは、やはり早撃ち大会でした。開成の、由緒ある文化祭の歴史の中で、あれほどばかげた催しは初めてだった、と自負しています。しかし、やっている本人が面白がっていると、不思議と「一緒にやりたい」と寄ってくるやつが、けっこう出てくるものなんですね。

また、子どものころから好きだった野球やソフトボールも、開成にはいってから同級生を誘って、朝・昼休み・放課後と、のべつやっていました。朝なんて、始業のチャイムが鳴る八時より、ずっと早い七時に校庭に集合して、やっていた。それくらい、好きだった。野球部にはいることはなかったけれど、好きなことを好きなときに、好きなように好きな仲間たちとやるのが、楽しかった。

もともと人の上に立って、あれこれと命令や指図をするのは、得意じゃないんです。わいわいがやがやと、みんなで楽しくやっているうちに、なんとなく首謀者（？）に祭り上げられる。そんな体験は、のちのちの人間関係のつくり方にも、影響したかもしれないですね。

第三志望の男

のびのびと過ごした開成生活も、終わりに近づくにつれて、受験する大学を決めないといけません。特に、将来の道も決めていなかったわたしは、ただ英語が比較的得意で好きという理由から、東京外国語大学を志望していました。それも、英語やフランス語は倍率が高いので、スペイン語学科にしました。例のS君が、「これからは中南米の時代らしいぞ」と言うから、鵜呑みにしたのかもしれません。そのころは、「将来は世界を飛び回る、商社マンにでもなろうか」と考えていたような気がします。

受験科目は、英語と国語と日本史。先に述べたとおり、国語と英語が得意だったので、悠々と構えていました。ところが、運命の女神はなんとも過酷な試練を、課してきました。入学試験を年明けに控えた高三の秋、突如、東京外国語大学の二次試験の科目に、「数学I」が加わると発表されたのです！

英語だけで受けられた、一次試験は順調に突破できたものの、数学Iが加わった二次試験の壁は厚く、あわれ不合格となりました。しかし、これは十分に予想できる結果だったので、「滑り止め」として早稲田大学の政治経済学部と、中央大学法学部を受ける準備をしていました。早稲田に関しては、受験前の模擬試験で数千人中六位という、とんでもなく高い順位を取っていたので、大丈夫だろうと高を括《くく》っていました。同級生のS君は、百番台で不安そうにしていたので、「大丈夫だ。一緒に受かろうぜ」と励ましていたのですが……。

結果はなんと不合格！　あの「六位」はなんだったのか。一方、S君は見事に合格を果たし、わたしをなぐさめるのに四苦八苦、というありさまでした。

ということで、第一志望にも第二志望にもふられ、第三志望の中央大学法学部に、入学したわけです。当時の中大法学部は、東大よりも司法試験合格者数が多いほどで、不満があったわけではありません。とはいえ、滑り止めのつもりだった大学に、行くことになろうとは……と、少々落ち込んだ記憶もあります。

しかし考えてみれば、志望通りの結果になっていたならば、小説家の道など歩んでいなかったかもしれません。何より、中央大学のキャンパス（当時お茶の水にあった）が神田神保町の古書店街に近いというのは、第三志望の最高の慰めでした。何ごとも結果オーライなのです。

法曹界を目指しかけるも……

わたしのいいところは、状況に応じて気持ちを切り替え、環境に対応していく柔軟性にある、と自負しています。

中大法学部への進学が決まったときも、「ならば司法試験を目指そうじゃないか」と早めに気持ちを立て直し、進路に対する考えをすみやかに方向転換しました。

当時、お茶の水に校舎のあった中大法学部は、弁護士や裁判官といった法曹界の第一線で活躍する卒業生が、ときどき訪れては後輩たちを指導するという、非常に恵まれた環境にありました。校舎の最上階に、「真法会」「緑法会」といった由緒ある研究室が、並んでいました。そのうちの一つにはいろうと、ある日階段をのぼって覗きに行きました。大学にはいって、ひと月かふた月経ったころだった、と思います。すると……。

外の世界の、爽やかな新緑を遮るように、暗幕をかけて真っ暗にした部屋の中に、蛇腹式の電気スタンドを一つだけつけて、分厚い『六法全書』を広げている人影が見えました。髭を伸ばし、分厚い眼鏡をかけ、額には鉢巻。その風貌は、とてもはたちそこその若者には見えない、おじさんでした。目を凝らして何度見ても、明らかにおじさんなのです。つまり、司法試験のため何年も勉強し続けていて、暗い部屋に閉じ込もっているのだ、と察しました。

その光景を見た瞬間に、「これはだめだ。自分にはとても続かない」と直感しました。こんな辛気臭い勉強は、とてもやっていく自信がない、とあっさり諦めたわけです。こういうとき、自分の直観を信じて即断即決、すぐ退却してしまうんですね。

ひとさまの努力を「辛気臭い」と言っておきながら、自分が今小説のためにやっている調べ物だって、はたから見たら同じくらい、辛気臭いに違いない。三島由紀夫《みしまゆきお》は、『六法全書』の「刑事訴訟法」を愛読したと伝えられていますし、ロマンを感じる対象は人によって、違うのでしょう。とにかく当時のわたしには、『六法全書』からその香りを嗅ぎ取る力が、なかったのです。

こうして、大学にはいるまでの経緯も想定外でしたが、はいってからも想定外のコース変更が、発生したわけです。中学のころから始めた、小説書きも相変わらず続けていましたが、それが仕事になるものとは露ほども思わず、あくまで趣味としての楽しみでした。

ギター三昧の大学生活

では、想定外ずくめの自分を救ったものは、なんだったのか？　そこには、一本のギターがありました。

本格的にギターを弾き始めたのは、大学一年の夏ごろのことです。多趣味な次兄から、ギターの楽しみを教わり、お下がりを引き継いだことが、きっかけでした。映画『禁じられた遊び』がリバイバル上映され、あの有名な主題歌『愛のロマンス』が、流行した時代です。ナルシソ・イエペスが、クラシックギターで演奏していました。クラシックギターは、優れた教本があればある程度までは、独習できます。学業そっちのけで練習すると、面白いように上達しました。

シューベルトやベートーヴェン、映画音楽、ラテンなど手あたり次第に練習して、レパートリーが三十曲ほどになった、と記憶しています。ついに大学三年生のころ、仲間と「古典ギター研究会」なる同好会を発足させ、大学の地下ホールで演奏会を開くまでになりました。

さらに高いレベルを目指そうと挑んだのが、バッハがバイオリンのために書いた『シャコンヌ』。ギター用の楽譜を買ってきて、こつこつ独習をしていたのですが、短い主題のあとに延々と続く変奏を、覚えないといけない。三つめを弾くころには、一つめを忘れちゃうものだから、「これは、ちゃんと音楽理論を勉強しないと、だめだな。しかし、先生につくのもいやだし」と、壁にぶつかりました。そんなころ、たまたま出会ったのが、フラメンコギターだったのです。

古本を目当てにかよっていた神保町で、いつもの流れではいったシャンソン喫茶、「ラドリオ」の店内に流れていた一枚のレコードが、きっかけでした。その盤は、サビーカスという本場スペインの弾き手による演奏で、それまで抱いていたフラメンコギターのイメージを、頭からくつがえすものでした。

がちゃがちゃとした音の乱雑さが一切なく、心地よく流れる哀愁と情熱の世界に、一目惚れならぬ〝一耳惚れ〟をして、「サビーカスのように弾けるようになりたい！　なるのだ！」と決心したのです。

このときも、先生につくという発想は、ありませんでした。なんでもそうですが、「師匠について習う」というのが苦手、というかきらいなんですね。決められたペースで習ったり、練習したりするのが、面白くない。好きなことは、自分が好きなように、好きなペースで楽しみたい、というのが、自分なりの流儀なのです。とはいえ、向き不向きがありますから、どなたにもおすすめできるわけではありません。

探究の楽しみを知る

さて、「なんとかフラメンコギターを弾きこなしてみたい」という思いは募るものの、まず楽譜が手にはいらない。フラメンコは、そもそも楽譜などない、伝承音楽なんですね。

そこでわたしがとった独習法は、フラメンコの生演奏をやっている、新宿のスペイン料理店に通い詰める、というぜいたくなやり方でした。毎回、最前列のかぶりつきで、ギタリストの手元を注視し、目と耳で覚える！　実はこれ、本場スペインと同じ流儀なのです。もともと、ヒターノ（ジプシー）の生まれで楽譜が読めなかったギタリストたちは、うまい弾き手の手元を見て、自分の指先に写し取っていった。すなわち、わたしは〝正統派〟の弾き手だった（!?）、と言ってもいいでしょう。

しかし、これだけではやはり限界があり、その次は「レコードから音を聴き取って、一つひとつ覚える」というステップへと、移りました。

そのままのスピードでは、とても速くて聴き取れないので、レコードの曲をオープンリールのテープレコーダーに録音して、スピードを半分に落として再生する。その分、音程も低くなるので、ギターの調弦もそれに合わせてから、一小節ずつ楽譜にしていく。途方もなく、めんどうなことをやったものだと、自分でも感心してしまいます。大学から帰ったら、ギターの採譜に明け暮れる日々でした。今でもその楽譜が、残っています。

一曲覚えるまでに、相当の時間がかかったけれど、弾けるようになったときの達成感は、格別でしたね。それに、好きなことに好きなように、好きなだけ没頭できる時間は、まったく無駄に感じない。それどころか、この上ない至福のときと言っていい。

何より、「これはこういうものだよ」と、だれかから手法を教わるのではなく、自分なりに考えて上達の道を探る、その過程が面白い。

こういう時間を、人生の中でどれだけつくれるかが、わたしにとっては重要なわけです。小説もまた、そんな時間から生まれ出たものなのです。

第三章

PRマン時代、スペイン

～第三志望の就職先でも、
知恵と工夫で仕事は面白くなる

再び、第三志望の男

大学生活も後半に差し掛かると、いよいよ就職活動。学生生活は、ほぼギターの修練に費やしていたものの、さすがに「その道に挑むか？」というほどの自信も根性もなく、ごく一般的な流れで就職活動へと突入しました。

文章を書くことを生業《なりわい》にできたら、という気持ちは強くあり、第一志望は新聞社でした。毎朝、一面の連載コラム「天声人語」を愛読していたので、朝日新聞社を受けました。第二志望は文藝春秋。新聞記者か編集者になれば、文筆に携わる仕事につける、と考えたのです。

併せて、滑り止めと力試しを兼ねて受けることにした、広告会社二社が第三志望でした。業界トップの電通と、二番手・博報堂がそれです。コピーライターという職業もまた、文筆の力を活かせる仕事の一つだ、と聞いたからです。

朝日新聞は難関の筆記試験を突破し、「ここさえクリアすれば」という面接へ進むことができました。緊張しながらも受け答えする中で、ある面接官が「きみはなかなか作文の成績がいいようだね」とぽつり。さらに、顔を上げて「編集志望だそうだが、入社したらどんな仕事をやりたいのかね」と聞いてきたのです。作文を評価されたことがうれしかったので、素直な気持ちで「はい。天声人語を書きたいと思います」と即答。瞬間、目の前の面接官が全員、笑い崩れた光景は忘れられません。もちろん歓迎の意味ではなく、「まだはいれると決まったわけでもない若造が何を言うか」という失笑でした。せめて「実力をつけたあとにゆくゆくは」くらいの枕をつければよかったのに、ときすでに遅し。これだけが理由ではないにせよ、結果は不合格でした。続けて、文藝春秋も役員面接で失敗してあえなく散り……。

これらの結果が出る前に、選考が同時進行していたのは、同列の第三志望だった電通と博報堂。特に、どちらを希望していたわけではありませんでしたが、博報堂は「うちは電通さんを追う立場なので」という、謙虚な姿勢が随所に垣間見られて、なんとなく好感を抱いていました。面接では、終始朗らかに笑っていただいて、楽しく時間を過ごした記憶があります。何を話し、何をアピールしたのかは、思い出せません。それほど気持ちを、解放させていたのでしょう。

気負いなく臨めたのがよかったのか、後日、「採用が決まった」と電話がはいりました。ちょうど第一志望・第二志望にふられたばかりで落ち込んでいたわたしは、「よし。こうなったら、コピーライターとして身を立てよう」と気を取り直して、博報堂の誓約書にサインをしました。

その後、選考に時間をかけていた電通から「筆記試験に通ったので、次の面接に来てください」と連絡がはいったものの、「博報堂に行くことに決めましたのでけっこうです」とあっさり辞退したのです。「業界首位のわが社を蹴るとは何ごとか」とは言われませんでしたが、どことなく腑に落ちない様子だったのを、よく覚えています。もともと同列の第三志望でしたし、正直、こだわりはそこまでなかったのです。ただ一つ、博報堂が優位に立つ理由があったとすれば、社屋が〝わが心のふるさと・神保町〟に隣接しており、「好きなときに古書店巡りができる」という期待でしょうか。また、なんとなく社員の皆さんが温かそうだという印象にも、背中を押されました。

そんな経緯で、大学受験に続いて就職においても、〝第三志望の道〟を行く人生となりました。ところが、これが決して悪い結果にはならず、今振り返って「いい目が出た」と思えるのです。もしも朝日新聞に受かっていたら、夜討ち朝駆けで取材に駆け回ったり、容疑者の顔写真を入手するのに奔走したり、という生活に、たちまち音を上げていたかもしれません。博報堂は、多彩な才能を発揮する先輩揃いで、社員個々人の人生の充実を尊重しよう、という気風がありました。おかげで、実に恵まれた会社員人生を送り、小説家としてのデビューも果たせたわけです。

なお、「コピーライターになる」という入社後の志望も叶《かな》わず、新人研修のあとに決まった配属先は、ＰＲ本部になりました。これは、広告コピーを手がける制作部門ではなく、広告以外の手法で得意先のＰＲを企画する、比較的新しい部門でした。研修の際に、わたしが腕試しとして作ったコピー「日航に乗らずにして、ケッコウと言うなかれ！」のセンスが高度過ぎたのか？　いや、きっと教育担当の先輩社員（のちに広告批評家として活躍した天《あま》野《の》祐吉《ゆうきち》さん）が、「この新人は、短いコピーを書かせるより、まとまった文章を書かせた方がよい！」と才能を見抜いてくださったもの……と信じたい。

楽しみを見出す、つくり出す

かくして一九六六年に、会社員人生が始まりました。得意先の会社の広報をサポートする仕事、「ＰＲマン」という職種は当時まだ歴史が浅く、いろいろと工夫のしようがありました。

広告を企画して売るのではなく、広告ではない宣伝方法を考えて提案していく仕事です。得意先の社長談話や、業績の見通しなどを文章にまとめて広報資料にしたり、新商品のリリースを書いて新聞社や雑誌社に、送ったりするわけです。今はもう珍しくありませんが、博報堂で働き始めた当時は「こうやればいい」という型も、ほとんどない時代でした。

手本がないということに、不安を覚える人もいるかもしれませんが、わたしはむしろ楽しんでやっていましたね。お客さんも大企業ばかりではなく、下町のメーカーさんなども多くて、一緒に新しい仕事をつくっていく感じで、面白かったんです。

例えば、浅草にあったマフラーとか紳士ベルト、洋傘等の業界団体から、「われわれのＰＲをやってくれ」と頼まれたら、そこの役員たちと頭を捻って、新商品の売り出し方を考える。

「今年のマフラーは、こういう色と柄がはやります」

「でしたら、それをモデルに巻かせて、銀座を歩かせましょう」

といった具合です。

売り出し方にとどまらず、商品開発にもけっこう口を出しました。「日本洋傘振興協議会」との仕事では、当時の斬新なデザインとして、傘の縁に「フリフリ」のフリルをあしらうことを提案してみたり。アベックでさせる横長の傘や、愛犬を散歩中に雨から守る「犬の傘」なんていうのも、ありました。

そんなユニークな新商品が完成したら、今度はそれを世間に知らせるため

一九六六年、新入社員のころ。第三志望の会社で、希望の部署でなくても、仕事の面白みを見つけた。

に記者を集めて、披露するわけです。記者発表というほどでもないですが、モデルを呼んで傘をさして歩いてもらって「ほら、素敵でしょ」とアピールする。写真帳をめくりながら、好みのモデルさんを選ぶのが、楽しくてなりませんでした。「ギター生演奏」の余興を、組み込んだこともありましたね。

ポイントは、来てくれた記者がすぐに記事として、転用できるような完パケ原稿を、用意すること。それから、売れっ子のファッションデザイナーによる、最新トレンドのミニレクチャーなんかも一緒にやり、記事にしたくなるような情報を提供する。もちろん、写真も用意します。すると、翌日の新聞記事になる確率が、高くなるんです。載れば載ったで、たとえ小さな記事でも、「新聞に載ったぞ！」と得意先は大喜びでした。

このやり方は、今はもう珍しくなくなったようですが、当時はほとんど普及していなくて、先輩たちと一緒に独自に工夫開発したものでした。確か「記者ゼミナール」なんて名付けていたかな。自分なりに考えて、相手にも喜んでもらえたら、うれしいものです。仕事は、最初からそこに「在る」ものではなくて、いくらでも自分でつくり出せる。そのように考えれば、楽しみは倍増するのです。

趣味道楽こそが本業なのだ

前述のとおり、第三志望の人生を体験したからこそ言えることですが、「仕事がすべて」と思い込まずに気楽に考えるくらいが、ちょうどいい。

仕事はあくまで仕事であり、人生のすべてではない。会社に勤めたからといって、それまでやってきた趣味を諦めることはないし、むしろ「趣味こそが本業だ」くらいの気分で勤めた方が長続きする、というのがわたしの持論です。

実際、会社員になったからといって、好きな趣味を中断することはありませんでした。ギターを弾く時間、本を読む時間、映画を見る時間。全部、大切にしていましたね。

野球にいたっては、当時全盛だった会社の草野球チームに所属して、部門対抗リーグ戦で投打にわたる、大奮戦。ある年など、年間最優秀投手賞（ＭＶＰ）まで獲得するくらい、がんばりました。このときにもらった表彰楯は、仕事場に大事にとってあります。

一九七〇年代、博報堂社内にて。社員皆が多忙な中、二週間のスペイン旅行を決行（？）する。この経験が、のちの創作活動につながっていく。

今でも、そうであってほしいと願いますが、博報堂は社員の仕事以外のプライベートな時間も、尊重する雰囲気がありました。相変わらず、フラメンコギターにのめり込んでいたわたしが、「本場のフラメンコを見聞しよう」とスペイン旅行を思い立ったときにも、温かい理解を得られました。

一度目は一九七一年の秋。広告業界も、右肩上がりに成長している時代で、社内のどこを見渡しても大忙し。管理職は「猫の手も借りたい」と思っていたはずでした。しかし、上司だったN部長は「二週間ほど、スペインに行ってきたいのですが」という申し出に対し、驚くほどあっさりと「あ、そう。行ってらっしゃい」と送り出してくれたのでした。もしかしたら、あまりにも「ちょっとそこまで」という口調だったから、つられてしまったのかもしれません。

その後さらに、仕事やプライベートを含めて、何度もスペインに行かせてもらいました。わたしはその期間に、スペイン内戦やフラメンコギターをテーマにした『カディスの赤い星』を書き上げ、これはのちに直木賞を受賞しました。恵まれた環境あっての創作活動。そして、少しばかりの自分の意思。「自分の人生を楽しむのだ」という意思を、忘れないことが大事なのだ、と思います。

初めてのスペイン、一生の出会い

上司の理解を得て実現した、二週間のスペイン旅行。行き先として選んだのは、フラメンコの本場、アンダルシア地方でした。当時は、ヨーロッパ旅行といえばフランスやイタリアが主流で、スペイン行きのツアーなど旅行会社のパンフレットにも、あまり見当たりませんでした。次兄が航空会社にいて、チケットを手配してくれました。

言葉に関しては、NHKのスペイン語講座で、独習しました。フランス語などと違い、発音が簡単でほぼローマ字読みで通じるので、日本人にとっては習得しやすい言語だな、と感じましたね。このときも英語と同じく、几帳面に単語やイディオムのカードをこしらえましたが、とにかく早く行ってみたい気持ちが膨らむばかりで、片言のレベルで思いきって海を渡りました。

第三章
PRマン時代、スペイン

日本では聴けない本場のフラメンコを求めて、コルドバ、セビリヤ、カディス、グラナダ、マラガと、地図を片手に汽車で各地を回りました。まだ、独裁者のフランコ総統が生きていた時代で、街のいたるところにスペイン内戦の傷痕が、刻まれていました。フラメンコを目当てにした旅でしたが、その土地が醸し出す歴史を五感で感じながら、「この国をもっと知りたい」という思いが募りました。

カディスの、場末の酒場（タブラオ）にはいったときには、驚きました。最後に登場した、トリのダンサーがなんと、日本人男性だったのです。その男性こそ、一九六六年にスペインに渡ってマドリードで修業を積み、のちにスペイン国王から勲章を授与された、小島章司《こじましょうじ》さんでした。小島さんとはそれ以来、交流が続いています。

グラナダのカフェでは、店でおじいさんが弾いていたギターが、あまりにもへたくそだったものだから、つい若げのいたりで「ちょっと貸してみろ」とばかり取り上げて、軽く弾いてみました。すると、店の奥から若い衆が出てきて「うまいじゃないか。おれの歌の伴奏をしてみろ」と挑まれた。伴奏はやったことがないし、一瞬ひるんだものの、ゆっくり進行する曲ならば、と弾き始めました。すると、自然に指が動き出して、あれよあれよという間に、伴奏をやってのけたのです。

こういう、一種の神がかり的な状態を、スペインでは「ドゥエンデ（妖気）が来る」と表現するのですが、まさにそんな体験でした。偶然にもそれが、二十八歳の誕生日だったんです。

スペインを好きになった理由の一つは、そこに暮らす人々の人情に触れたことでした。スペインに到着した、翌朝のことです。寝坊して慌てて、セビリヤ方面行きの列車に乗ったものの、朝食をとりそこねて腹ぺこでした。しかも、乗り込んだ列車には、食堂車がない。昼食どきになると、周りの乗客は荷物から弁当を取り出して、美味しそうな匂いを漂わせながら、食べ始めます。車窓の景色で紛らわすしかないな……とがまんを決め込んだとき、向かいの席に座っていた年老いた紳士が、「弁当はないのか」と尋ねてきました。正直に事情を話したところ、なんとその紳士は自分が持ってきたサンドイッチを、半分に割って「食べなさい」と差し出したのです。

さらに驚くべきことに、そのやりとりを聞いていた周りの乗客たちが、われもわれもと自分の昼食を分けてくれ、たちまちそこに一人分の弁当が、できあがったのでした。チーズやソーセージやオレンジ、ワイン……おかげで腹は

列車内の偶然の出会いがきっかけとなり、親交を深めたラミーレス一家（前列の左から二番目が著者）。

満たされ、胸もいっぱいになりました。この出来事にいたく感動したわたしは、彼ら全員の写真を撮って住所を書き取り、帰国後に礼状と共に記念の写真を送りました。

すると半年ほど経って、マリー・カルメン・ラミーレスという覚えのない女性から手紙が届いたのです。そのカルメンは、わたしに最初にサンドイッチを分けてくれた老人の孫で、手紙には「祖父が急逝し、遺品からあなたが撮った写真が出てきた」とありました。すぐに返事を書いて、それ以来長いあいだ、交流が続きました。

六十代でのスペイン旅行で、フラメンコを見ていたら、ステージに上がることに……。

二回目のスペイン旅行では、カルメンに連れられてラミーレス家を訪ね、母親から「おかげで父の素敵な遺影になった」と、涙ながらに礼を言われました。偶然の縁をきっかけに、国境を越えた人間同士の温かな交流が、「この素晴らしいスペインの、文化と人情を伝える小説を書きたい」という思いへと、つながったわけです。

どんな仕事も面白がる

五十三歳で、早期退職するまでのサラリーマン人生は、ざっと三十一年です。会社勤めをしていると、そのときどきのいろんな事情で、思いがけない仕事が降ってくるものです。昨今は、定年間際に鬱々《うつうつ》とするベテラン勢も、少なくないと聞きます。

実際のところ、仕事には重要度が高い仕事と、そうでもない仕事があるものでしょう。しかしながら、その「そうでもない仕事」を面白い、と思えるかどうかは人によります。いわば、考え方次第なわけです。

始める前から、「この仕事はつまらない」と決め込むのは、早すぎます。何ごとも、やってみなければ分からないもの。突き詰めれば、世の中に「役に立たない仕事」なんて、ないんです。わたしはその点、どんな仕事も面白がれるという、得な性格だったと思います。

会社員生活の、最後に所属していたのは、自社広報の部署でした。マスコミが押しかけてくるような、大きな事件さえ起きない限り、比較的静かな部署です。スタッフも少なく、アルバイトもほとんど必要ない。毎月一つか二つ、A4サイズのニュースレターを準備して、マスコミに送るのが定例の仕事。レターの文章は、わたしが書いていました。

印刷されたニュースレターが納品されたら、ページごとの紙の束から一枚ずつ、角を合わせてステープラーで留め、折り畳んで封筒に入れ、糊で封をする。

第三章
PRマン時代、スペイン

五十三歳で早期退職するまで、執筆との二足のわらじ。会社の仕事もイベントも、大いに楽しんだ。

この作業をひたすら、若いスタッフと一緒にやっていました。

はたから見ると、「いい年してそんな単純な仕事をやってるのか」と思われそうな光景かもしれませんが、いやいや、当の本人は俄然夢中になる。いかに無駄なく、美しく折り畳み、すばやく封入できるか？　その一心で、取り組む。「いちばん早くきれいにできた人には、コーヒーご馳走する！」などとはっぱをかけ、若い女性社員に負けじと、競い合っていました。

どうせやるなら、楽しむ方が得。どんな仕事でも、一所懸命やってみると、自然と面白みが見つかってくるものなんです。強調したいのは、面白みは最初から見つかるものじゃない、ということ。最初はたどたどしかった手元が、徐々に慣れてスピードアップしていく、その過程が面白い。そうやっているうちに、小さな仕事でも何かの役に立っている、と気づくときがきます。

大河の一滴であったとしても、流れを成す一滴であることに変わりはない。だから、難しく考えずに面白がるのが、こつなのです。

第四章

二足のわらじ、直木賞受賞、サラリーマンと執筆と

～会社員と小説家の兼業をこなす中、生涯書き続ける決心をする

会社員生活の傍ら、小説執筆を再開

就職し、仕事やギターに忙しくて（？）、しばらく遠ざかっていた小説書きですが、三十歳を過ぎてから再開しました。

きっかけは、一時期あわただしかった仕事が、一段落したからでした。その仕事とは、一九七五年の春に配置転換された、自社広報部門での仕事です。前章で「自社広報部門は、よほどのことがなければ静か」といった説明をしましたが、実はわたしがこの部署に呼ばれたのは、やや込み入った事情があったからでした。

もう昔の話なので、明かしても差しつかえないでしょう。一九七〇年代の前半、博報堂の経営に外部から参画した幹部が、非公開株を操作していたことが発覚し、特別背任罪に問われるという事件が起きました。博報堂は資本金にして一億八百万円と、規模としては中小企業でしたが、当時はすでに社会的に影響力を持つ、有名企業になっていました。そのため、マスコミの注目の的となり、記者対応を強化する必要が、生じたわけです。

一般社員の業務とは、ほとんど無関係ではありましたが、世間への伝わり方によっては、会社の経営に悪影響が出る。「博報堂事件」と呼ばれたこの事件は、会社にとって重大な岐路であり、マスコミ対策の経験を持つスタッフが必要になって、わたしが指名されたわけです。

判決が出て、事態が収拾するまで、四十数回にわたる裁判をすべて傍聴して記録し、幹部に報告していました。とても神経を使う仕事でしたが、当時の社長のリーダーシップで、社内が一致団結して難局を乗りきっていく過程を、内側から深く見つめた経験は、まことに貴重だったと思います。

事件が一段落すると、時間的にも精神的にもゆとりが生まれました。自社広報の通常業務はありますが、事件のマスコミ対応ほどには、忙しくありません。

おまけに週休二日制が導入され、ある程度余裕が生まれる結果となりました。

さて、何か始めるか……と見渡したとき、ゴルフや麻雀には食指が動かず、ふと思い出したのが、中高生時代に教師の目を盗んでは書き、書いては学友たちに回し読みさせた、小説書きの趣味でした。

自社のプレスリリースもいいけれど、小説を書く方がずっと面白いよな、と久しぶりに原稿用紙を引っ張り出して、休みの日に机に向かうようになったのです。

ただ、この時点では「新人賞を獲って小説家になる！」といった意気込みはゼロで、あくまで趣味の範囲でした。大勢のだれかではなく、ただ自分自身を楽しませたいという、自己中心的な趣味ですね。単純に、書くのが楽しいから、書く。これは今でも変わらない、わたしの本音です。

プロの感想を聞きたくて

ただの楽しみとして、再開した小説書きですから、本にするつもりなど、はなからなかった。その証拠に、原稿用紙に横書きで、しかもシャープペンシルを使って、書いていました。

通常、原稿用紙は縦書きが原則で、出版社の編集者もその形式で、読み慣れています。そして筆記具は、万年筆やボールペンを選ぶのが一般的でした。シャープペンシルで書いた字は、見る角度によって銀色に光り、読みづらいこともあって、敬遠されるのです。

では、なぜこの非常識なスタイルで取り組んだのかというと、単に「きれいに書きたい」というこだわりによるものでした。シャープペンシルで、横書きに書き進めれば、書いた文字に右手の小指側が当たらないから、字がこすれず、原稿用紙も汚れない。今でもそうですが、わたしは手書きの場合、一字ずつ乱れなく筆記しないと、気がすまないのです。少しでも乱れがあると気持ちが悪いので、とにかく丁寧に書く。そのこだわり具合は、見る人によっては「カリグラフィーのようですね」と言われるほどです。

読まれる期待よりも、書く楽しさを追求して書く作品なので、主人公を自分と同じPRマンに、設定しました。フラメンコギターをきっかけとして、スペイン現代史の世界へと誘《いざな》う物語です。自分にとって身近な世界、好きなものをもろもろ取り交ぜて、一つに詰め込んだような小説です。PRマン、フラメンコギター、スペイン、どれをとっても当時の人気作家たちが、扱っていない題材だったと思います。十代のころにあこがれたハメット、チャンドラーばりの一人称小説のスタイルをとり、仕事から帰宅して毎日少しずつ、土日はゆっくりと時間を使いながら〝会社員の道楽〟としてこつこつと書き続けました。

好きな世界に没頭できる小説は、自然と筆も進みます。一年経ったころには、なんと四百字詰め原稿用紙で千四百五十枚、という大長編ができあがっていました。一九七七年の夏のことです。

自分一人の、楽しみのためだけに書いた、道楽小説でした。しかし、いざ完成して読み直してみると、「これはプロの作品と並んでも、遜色《そんしょく》がないのではないか⁉」という、誇大妄想的な自信が湧いてきました。できれば、プロの編集者の感想を、聞いてみたい。評価されたいというより、純粋に感想を聞きたいという気持ちです。

そこで、開成高校の先輩だったある編集者に連絡をし、作品を預けてみることにしたのです。しかし、あまりに長大な原稿の量に驚いたのか（?）、その人は直後に病気になり、「入院することになったので、若い編集者に後事を託しました」という連絡がきたのです。

しかし、待てど暮らせど、なしのつぶて。

考えてみれば、無名の素人が書いた千四百五十枚もの小説を、読んでくれる奇特な編集者は、なかなかいないのです。当時は四百枚もあれば、一冊の本ができる時代でしたから。

縁がなかった、と割りきって作品を取りもどしたあとは、「ではどこかに応募してみるか」とも考えましたが、当時唯一のミステリーの長編小説新人賞だった、江戸川乱歩《えどがわらんぽ》賞の応募条件も「上限五百五十枚」。結局、処女作の大長編作品は行き場を失い、自宅の押し入れの中で、ただ世に出るときを待つしかなくなったのです。

"兼業作家"としてデビュー

せっかく書き上げた大長編ですから、「プロの編集者に読んでほしい」と思うものの、その長さゆえになかなかその機会を、得られませんでした。

そこで方針を変えて、まずは新たに短編を書いて新人賞に応募し、作家として認めてもらおう、と考えました。そうすれば、楽しみながら一年かけて書いた、千四百五十枚の原稿（高さ約十五センチ！）を、読んでくれる編集者が現れるかもしれない。

何度目かのチャレンジののち、「暗殺者グラナダに死す」でオール讀物推理小説新人賞（文藝春秋）を受賞したのが、一九八〇年の夏のことでした。めでたく作家の端くれになれたわけですが、会社勤めを辞める気はさらさらありませんでした。小説を書く動機は、あくまで「好きで楽しいから」です。職業として独り立ちする覚悟などなく、日曜大工のような感覚で一生の楽しみになればいい、という気持ちで向き合っていました。

受賞作の担当編集者も、非常に現実的な助言をくれました。

「絶対に会社を辞めないように。新人賞を獲ったくらいで、『作家になった』と勘違いしてはいけません」

現に、作家一本に集中しようと勤めを辞めたのに、その後は鳴かず飛ばずで消えていく人が多い、とのこと。わたしの場合も、受賞後に各社から原稿依頼が殺到する……なんてことは、まったくなかった。淡々と変わらぬペースで、好きな作品を書き続ける生活を、しばらく続けていました。今思えば、好きなことを好きなときに、好きなように書いてきたからこそ、真に心が躍る作品の執筆を続けてこられたし、小説を書く楽しみをずっと失わずにいられたのでしょうね。

講談社からの依頼で、手元にあった習作を書き直した『裏切りの日日』は、公安警察をテーマに人間消失トリックを織り込んだ、ハードボイルド系ミステリー。これは初版のまま絶版（！）になりましたが、好意的な書評がいくつか出たことが、励みになりました。この作品を発展させる形で書き上げたのが、一九八六年に上梓した『百舌《もず》

逢坂剛『百舌の叫ぶ夜』（集英社文庫刊）。単行本刊行は一九八六年。二十八年の時を経て映像化された。

の叫ぶ夜』です。これが初めて重版のかかるヒットとなり、同年上半期の直木賞候補作に残りました。二十数年後に、ＴＢＳとＷＯＷＯＷ共同作品としてドラマ化もされた、〈ＭＯＺＵ〉シリーズを通じて読んでくださった読者も、多いかもしれません。

逢坂剛『カディスの赤い星』（講談社文庫刊）。直木賞、日本冒険小説協会大賞、日本推理作家協会賞のトリプル受賞作。完成から九年を経て、書籍化。

しかし、手元にはもっと読んでもらいたい作品が、眠っていました。そう、その日をずっと待ちわびていた、千四百五十枚です。「何か書き置きの原稿はございませんか」という講談社の編集者の言葉に、わたしは一も二もなく「あります」と即答。後日、待ち合わせた席で、ドンと目の前に置かれたその分厚い紙束を見て、一瞬困惑した編集者の表情を、今も覚えています。数秒ののち、「お預かりします」と丁重にその紙束を抱えて持ち帰った、編集者の後ろ姿が今でも忘れられません。

それから返事が来るまで、十日も経たなかったと思います。

「面白いから、本にします」

このひとことが、どれだけわたしを喜ばせたことか。まさに念願叶い、報われる思いでした。


かくして、一時は埃をかぶっていた処女作は、完成から丸九年のときを経て、世に出ることになったのです。作品の名は『カディスの赤い星』。日の目を見たことだけでも、所期の目的は果たせたのですが、一九八六年下半期の直木賞を受賞する、という大きなおまけまでついてきたのは、想定外でした。これをゴールとせず、生涯書き続けていこうと決意を新たにする、出発点ともなりました。

無理なく続いた「二足のわらじ」

直木賞を受賞したあとも、わたしは博報堂社員としての身分を捨てず、「二足のわらじ」生活を続けました。最近は、新しい働き方として兼業や副業（複業）が一般化してきたようですが、その走りだったかもしれませんね。

なぜそれができたかというと、執筆を始めた当初から「土日の空いた時間にしか書かない（平日の夜に書くことはあっても雑文程度）」というスタンスを守っていたこと。本業に障りのないペースで書くから、両立に悩む場面もほとんどなかったわけです（正直なところ、気持ちの面ではどっちが〝本業〟か、という境はないのですが）。

また、広告業界は最先端の情報が多面的に集散する、いわば社会の動きを広く見渡せる、バルコニーのような場所です。仕事を通じて出会える人々は皆、知的な魅力に溢れており、出会いがそのまま刺激となる。物語を書く立場としては、そこに身を置くだけで貴重な情報にアクセスできる環境にあり、作家と兼業するにはこの上ない、理想的な仕事なのです。

加えて、博報堂という会社の社風にも、ずいぶん助けられました。今もそうだと思うのですが、この会社には社員の個性を伸ばそうという雰囲気があり、わたしが在籍したころには「自分の専門知識や特技を登録する」という制度もありました。社員一人ひとりがどんなことに詳しく、どんな点で力を発揮できるのかをデータベース化し（登録はもちろん任意）、知りたい分野の専門家を社員同士で探せる仕組みです。非常に合理的な考えだな、と感心しました。

わたしも確か「スペイン語とギター、フラメンコ」などと書いて、登録した記憶があります。そんな社内風土でしたから、わたしのように執筆活動をしている社員は他にもいましたし（エッセイストの酒井《さかい》順子《じゅんこ》さんも博報堂出身ですね）、「犬の美容師の資格を持っている」という同僚もいて、多彩な才能が賑やかに同居する、百貨店のような会社でした。

さらにありがたかったのは、同僚の皆さんが「作家・逢坂剛」となったわたしをなんら特別扱いせず、フランクに接してくれたことです。直木賞受賞が決まった一九八七年の年明けに、久しぶりに社内で顔を合わせた同僚から、すれ違いざまにこやかに、「おめでとうございます」と声をかけられ、てっきり受賞のことかと思って「ありがとうございます」と返しました。すると、同僚が不思議そうに「今年もどうぞよろしく」と続けたため、思わず赤面する出来事もありましたね。まあ、本名とペンネームが違うので、同一人物とは思わない人も、多かったのでしょう。受賞を喜んでくれた方々も、変わらぬ自然体で一緒に仕事をしてくれたことで、わたしも肩身の狭い思いをすることなく、働き続けられたのです。

広報室の一社員として、自社広報のためのリリースを書くのも、相変わらずわたしの仕事でした。代筆した原稿のチェックをお願いした社長が、赤ペンを片手に「直木賞作家の原稿に手を入れるのは、わたしくらいのものだろうなあ」と笑っておられたことを思い出します。

環境に恵まれ、何もなければずっと定年まで在籍するつもりでしたが、一九九六年秋に本社が神田錦町から港区芝浦へ、移転することになったのです。〝心のふるさと〟神保町との距離が、離れてしまったことを機に、翌年五十三歳で早期退職することを、決めました。

一九九七年までの、会社員生活は三十一年でした。その間、兼業作家の期間は十七年で、われながらけっこう長続きしたな、と思います。作家に定年はありませんから、専業作家としての人生がどれだけ続けられるかは、本人次第というわけです。今なお変わらず、書くことが楽しくて仕方がないというのは、しあわせなことですね。

自分にとって最適なリズムで

兼業作家時代に、新聞や雑誌で連載の仕事をしていたことには、たびたび驚かれます。「どうやってそんな時間を作るのですか」というわけです。特に新聞連載は、専業作家でさえ送稿がぎりぎりになりがちで、編集者の胃がキリキリと痛むと方々から聞かされるので、原稿渡しの早いわたしは、珍しいタイプだったのかもしれませんね。

わたしなりのこつを披露するならば、やはり自分にとって無理なく続けられるリズムを守ることが、重要でした。先にも述べたように、基本的には「週末限定の日曜大工作家」を標榜し、あくまで楽しみとして書く、というルールを守っていました。

それでも、最初に新聞の連載小説の話がきたときには、直木賞受賞から間もない時期だったこともあって、即答するほどの自信はなく、「三年くらい先なら、なんとか」と暗にお断りをしたわけです。ところが、先方は「では三年お待ちします」と返してくるではありませんか。そして実現したのが、一九九〇年二月に連載開始した「斜影はるかな国」でした。

いよいよ連載が決まったときには「事前にすべて書き上げておき、小出しに渡せばいい」と高を括っていたものの、現実はそうもいかず、開始時に用意できたのは一カ月分だけ。内心焦りましたが、ウィークデーの夜は調べ物にあて、週末に一週間分を一気に書く、というペースができてくると、最終的に貯金の一カ月分を減らすことなく、完走することができました。担当編集者からも、「ここまでスムーズに、原稿を受け取れたケースはめったにない。大変助かりました」と、優等生のお墨付きをいただきました。

ちなみに、初めての連載小説を掲載した新聞は、因縁の（？）朝日新聞。二十五年前の採用面接で、失笑を買ってしまった「天声人語」とまではいきませんでしたが、その新聞の特等席で小説を書けた、という巡り合わせには、何か運命的なものを感じます。

もう一つ、兼業作家を続けるための、ペース配分の面で心がけてきたのは、編集者との密なコンタクトです。原稿は、極力遅れないようにがんばりますが、さまざまな事情で思い通りにいかないことも、ままあります。そのときは、予測がついた時点で早めに連絡をして、進行の調整の相談、それが難しい場合は、雑誌なら号を一号延ばしてもらう、などの交渉をしていました。直前になって、これをやっては迷惑にしかなりませんが、まだ軌道修正可能な時期であれば、先方も「早めに教えてくれてありがたい」という反応になりますからね。

編集者が設定する「締め切り」は、ある程度のゆとりが組み込まれているのが通例であり、広告業界でいろいろな印刷物に対応してきたわたしには、「本当の締め切り」の想像もある程度はつきます。しかしながら、そのゆとりがあることで、自分も現場もお互いに助かります。原稿を渡したあとに、校閲や校正、レイアウトの仕事など、多くの人手が関わるのだ、という事情も知っています。だから、最低限のマナーとして、「遅れる相談は早めにする」。これは厳しく守っていました。

一つの作品が世に出るまでには、たくさんの人の手が関わります。そのリアルな工程を肌身で感じ、執筆活動に活かせたことも、会社員との二足のわらじの効用だった、と言えるかもしれませんね。

オリジナルをとことん楽しむ

どこかの新人賞を受賞しさえすれば、「作家の看板を掲げる」のはそれほど難しいことではないでしょう。しかし、その後も読まれる作品を生み出し、「作家であり続ける」ことは、そう簡単ではありません。

その点、わたしは優秀かつ心やさしい編集者に恵まれ、今日まで書き続けてこられたのですから、しあわせな作家ですね。

作家としての特徴を一つ、自分で挙げるとすれば、「頼まれたテーマで、小説を書いたことは一度もない」ということだと思います。初めて書いた長編『カディスの赤い星』も、日本ではあまり知られていなかったスペイン内戦、フラメンコギター、さらにはＰＲマンという、他の人気作家がほとんど扱ってこなかった題材の掛け合わせで、「だれも書いたことのない物語が書けた」という自負がありました。すべて、自分にとって身近な仕事や趣味が、創作の原点でした。

『百舌の叫ぶ夜』で描いた公安警察も、当時から警察小説は多々あれど、公安の内情を描いた小説はなく、独自の題材としてのこだわりがありましたね。これは、行きつけの神保町の古書店でたまたま、公安関係の資料に出会ったことが、きっかけでした。公安ならではの尾行や、潜入のやり口を知るにいたって、「これを小説に書きたい」という思いが募ったのでした。古書店巡りから生まれた、多くの成果の一つです。

二〇二〇年に上梓した大長編『鏡影《きょうえい》劇場』も、十九世紀の浪漫派作家E・T・Aホフマンという、だれに頼まれるでもなく、自分が惚れ込んだ人物について、半世紀近く少しずつ資料を収集し、それをもとに書き上げた、ビブリオ・ミステリーです。

「けれど、好きなことを好きなように書くだけでは、独りよがりになってしまいますよね」という冷静なる考察を投げかけたのは、担当編集者の一人です。

おっしゃるとおりで、自分が詳しくなった知識を、上から目線でひけらかすような書き方は、避けなければならない。それを、初めて知る読者にとって面白く、分かりやすく読めるように、平易に嚙み砕いて書く心がけが、大変重要だと考えます。「自分にしか書け

逢坂剛『鏡影劇場』（新潮社刊）。読み始めたら止まらない原稿用紙千五百枚は、幾重もの仕掛けが施される。本文最後の袋とじなど、異例づくしの大作。

ないことを、だれにでもわかる文章で書く」という井上ひさしさんの言葉には、深く共感します。

たまに、これでもかと専門用語が並ぶ小説を見かけますが、それでは本をぱたんと閉じられてしまうでしょう。せっかく読んでいただくならば、その数時間なり数日の読書の時間を「無駄ではなかったな」と思わせたいと、欲がどんどん出てくるわけです。物語には、いろいろと工夫をほどこして、人を新しい世界へといざなう力がなければいけない、と思います。

第五章

多彩、多芸、鍛錬と開花、幅広い交友

～好きな街に身を置き、リズムとリフレッシュを交え、仕事と長年の趣味に没頭する

日常に、文化の薫りを

自分にとって、居心地のいい街で過ごす時間を多く持つのは、人生において大切なことです。強く意識してきたわけではありませんが、自然とそのような選択をしてきました。

三十一年と三カ月勤めた博報堂を辞めると決めたのも、本社移転がきっかけになりました。先にお話ししたように、電通ではなく博報堂を選んだ動機の一つが、幼いころから馴染んだ古書店街、神保町に社屋が近かったことでした。移転が発表されたときには「ぴかぴかの新社屋で働くのはどんな気分か」という好奇心も少しは湧きましたが、移った先の街には古書店どころか新刊書店の数も少なく、味のある飲食店もほとんどない。やはり、心に決めたとおり、神保町にもどることにしました。八カ月新社屋にかよい、勤続三十年記念のご褒美、三週間の休暇を満喫したあと、慰労金をありがたく頂戴し、早期退職したわけです。

退職の一カ月前、神保町のすずらん通りに仕事部屋を探して、契約しました。退職までに、執筆に必要なワープロや資料（大量！）を、少しずつ自宅から移していったのです。そして退職日の翌日、一九九七年七月一日からこの仕事場に、かよい始めました。

齢《よわい》にして五十三歳、専業作家として新たな人生のスタートをきり、八カ月ぶりにもどってきた神保町。この街を歩き、ここの空気を吸うだけで、心がはずんでくるのが分かりました。

なんでも物が揃う、今の時代はどこで暮らしても変わらない、という意見もあるかもしれませんが、わたしにとってはやっぱりここが一番。古書店はもちろん、新刊書店、出版社、文房具店、ビデオショップ、喫茶店、中華料理店、レストラン、ミニシアターの元祖と言われる岩波ホールなどなど、どこを歩いても文化の薫りが感じられる街です。ここ十年ほどで、顔ぶれがだいぶ変わってしまったのは寂しいけれども、残された街並はなんとか守りたい。せめてわたしの道楽がこの街を潤すならばと、古書以外の買い物もできるだけ、この街でしています。先人が積み重ねた文化が、ぎっしりと賑やかに詰まった街並を、丸ごと自分の書斎にできるこのぜいたくは、何物にも代えられません。

「ああ、この街が好きだな」と、毎日歩ける日々に、満足しています。

永遠のマイブーム

昔から、ブームに乗るのが苦手でした。

苦手というより、世間がわっと騒ぐような流行には、あまり興味が湧かない。あえて遠ざけるつもりはないけれど、興味を持てないからなかなかお近づきになれない。

中学のころに、周りの同級生たちが夢中になっていた石原裕次郎《いしはらゆうじろう》や、吉永小《よしながさ》百合《ゆり》にも惹かれることなく、音楽についてもザ・ビートルズやザ・タイガースには、関心がなかった。

代わりに、中学生のころに夢中になったのは、推理小説。江戸川乱歩、クリスティ、エラリー・クイーンといった、ミステリーの王道の作品は早々に卒業して、ハメットやチャンドラーに取り込まれました。先述のように、ハメットの『マルタの鷹』を初めて読んだとき、その斬新な文体に「これぞ文学だ！」と雷に打たれ、以後はハードボイルド派一筋になったわけです。

もっとも、ハメットを読んでいる中学生なんて、めったにいない。「面白いよな」と話が合う友達は周りにいなかった。だから張り合いがない、ということもありませんでした。へそ曲がりと言われればそれまでだけれど、なんというか、自分だけの好みを見つけ出すのが、楽しいわけです。

最初は、その世界を知りたい、という好奇心から始まります。そのうち、知れば知るほどのめり込み、自分の中に取り込んでいって、いつしか一体化する。やがて、自分と切り離せない親密な関係になり、「では、ここはどうなっているのかな」と、さらに深みにはまっていく。あくなき好奇心の探索行です。世間のブームには乗りませんが、自分で見つけた鉱脈はとことん掘り続ける。小説も、映画も、野球も、ギターも、一度好きになったものは、ずっとはまり続ける。知れば知るほど、新たな魅力を発見して、また好奇心が刺激され、もっと好きになる。この鉱脈は、尽きることがないのです。

リズムとリフレッシュ

自分なりのペース、リズムを作ろうとする意識は、かなり強い方です。

これは会社員時代に、小説書きも無理なく続けようと工夫してきた「二足のわらじ」の経験で、身についたのかもしれません。「会社にかよう」という習慣そのものも、生活リズムの基盤になっていました。

長年勤めた会社を早期退職したあとも、自宅から電車に乗って毎朝九時に〝出勤〟し、昼食を挟んでせっせとデスクワークに取り組み、夕方の五時に〝退勤〟するというリズムを、なんとなく守っている。それが心地いいからです。食事は平日・休日問わず、時間を決めて規則正しくとる。リズムをできるだけ一定にすることが、体に負担を与えないこつのような気がします。好きなことを、死ぬまで続けたいという貪欲さだけは、だれにも負けない自信があるから、そのためにリズムを整えるのです。


リズムは守りますが、自分が定めた〝労働時間〟に仕事をしている、とは限りません。仕事部屋には、ちょっと筆が止まったときのリフレッシュに役立つ道具も、豊富に用意しています。

例えば、ギター。大事に買い集めたギターをケースから取り出して、かき鳴らす。ギターに飽きたら、隣の部屋からごそごそと、ガンベルトとモデルガンを取り出してきて、スチャッ！　クルクル！　と早撃ちガンプレーの練習（どちらも、ワープロを打つための指慣し！）。

こういう指を使う遊びは、ときどきやっておかないと、なまってしまいますからね。必要な時間なのです。

執筆の、エンジンをかけるための儀式としては、「製本」も定番です。作品の資料として集めた本の中から必要箇所だけをコピーして、白い面を裏側にして二つ折りに。折り畳んだ紙の一辺のみを糊付けして重ねていき、背表紙をつければ、薄い冊子が完成します。

平日は、ほぼ毎日〝出勤〟する神保町の仕事場。指慣しとして、執筆の合間にギターを爪弾く。

必要なポイントだけを抜粋した、オリジナルの資料として重宝するのですが、この冊子を作る過程というのが、また楽しい。はみ出しのないように糊を塗って、空気がはいらないようにすーっと貼り付ける。だれに頼まれたわけでもないけれど、やるからには美しさにこだわるのです。

不思議なもので、集中して作業をしていると、「そういえば、S社の原稿を書くんだったな」とわれにかえる。この時間があれば、もっとたくさん書けたのに……なんて反省はしません。

資料を「製本」して、薄い冊子としてまとめる。表紙の文字も美しい。オリジナルの資料のできあがり。

ギターやガンプレーで心を解放し、製本作業で神経を研ぎ澄ましたあと、再び机に向かう勇ましい姿を想像していただければ、納得してもらえるでしょう。

趣味はいつでも見つけられる

「逢坂さんは、多趣味でいいですね。世の中には趣味がないことが悩み、という人も多いのに」

ときおり、そんなふうに言われることがあります。

確かにわたしは、趣味が多い方だと思います。しかし、多趣味になろうと特に努力をしてきたつもりはなく、ただ若いころから好きなことを飽きずに、こつこつ継続してきたというだけのこと。

社会に出ると、つい仕事の忙しさにかまけて、いろいろと理由をつけては、趣味を遠ざけてしまう人が多い。「趣味の時間は、定年後までとっておこう」

とあと回しにしてきた結果、遊び方や楽しみ方を忘れてしまい、本来持っていたはずの遊び心、好奇心まで失ってしまう。そういうパターンが、多いのではないでしょうか。もしも、この本を読んでいるあなたがまだ若いのであれば、今がチャンスです！　好きなことを忘れないうちに、できる範囲で楽しむ時間を確保するように、強くおすすめします。

ちなみに、「ああ、わたしは手遅れだ」と本を閉じかけた人も、まあお待ちなさい。「好きなことを忘れないうちに」と、今言いました。そう、人は

縁あって自分のもとへ集まったギターは、いずれも思い入れたっぷりなものばかり。

だれしも何かしらの趣味を持っているのであって、〝無趣味な人〟などいない。単に忘れているだけなので、思い出そうとしてみればいい。

今でも夢中になれる趣味の、読書、映画、野球、ギター、ガンプレーなどは、すべて小中高時代の、まだ何者でもなかった子どものころに、好きになった遊びが発端です。子どもが、何かを好きになるきっかけは、「これをやれば将来役立つに違いない」といった欲や打算は一切なく、ただ純粋に面白がる気持ちだけなのです。したがって、生涯の趣味になる可能性が、十分にある。それらを、大人になってからも続けてきて、今なお楽しんでいるわたしが証言するのだから、本当です。

切手や人形、カードなど、子どものころに集めていたコレクションに、ヒントがあるかもしれませんよ。やってみて飽きたらやめて、他のものを試すのも自由なのだから、「三日坊主上等」と気楽にやればいいのです。

「趣味が見つからない」と、困っている大人の皆さんには、こう申し上げたい。

「何をおっしゃる。あなたはとっくに見つけていたでしょう。遠い昔に夢中になった、あれを再開すればいいのです」

愛しの古本コレクション

いまだに、神保町の古書店を巡ると、一冊、二冊、ついつい買ってしまいます。新刊書店と違う魅力は、偶然の出会いから知的欲求を満たす世界が、無限に広がっていくこと。すでに絶版となった、今昔の多種多様な本が並ぶ古書店の棚は、眺めるだけでもわくわくし、ときが経つのを忘れてしまうのです。地方に行く機会があれば、必ず事前にそのエリアの古書店マップを手に入れ、時間を作ってかならず回ります。特に郷土史関係の本は、その土地にしかない場合が多いので、貴重なのです。

近ごろは、店先の平台を見るのが楽しい。「え！　こんなところに、こんな珍品が、こんな値段で！」と掘り出し物を発見することが、けっこうあるのです。おそらく、本好きの収集家が亡くなり、家族がその価値を見定めぬまま、書架からどさっとまとめて、古書店に売っているのでしょう。

先日など、武者小路実篤《むしやのこうじさねあつ》が室生犀《むろうさい》星《せい》にあてた署名入りの著書が、なんと五百円の安値で売られていました。目を疑いましたが、「仲よき事は美しき哉《かな》」など野菜の絵でお馴染みの書体とよく似ていたので、どうやら本物のよ

ちょっとした図書館ともいえるほどの、充実した貴重な蔵書。日々の古書店通いで、増える一方……。

うです。

わたしも自分の本に、「北方謙三《きたかたけんぞう》君　逢坂剛」と書いて売ってみようかな、なんてときどき思いますね。「夏目漱石《なつめそうせき》様」と書くと、さすがに嘘だとばれますが。

買い集めた本を、なかなか捨てられないという話は、すでにしましたが、捨てられない理由は一冊一冊に、愛着があるからです。


本を買うと、見返しに付箋を貼り付けて、「買った日付」と「書店の名前」、それから「買った値段」を小さく書くのが、長年のルールです。

すると、本を開くたびに「ああ、そうだ。この本はあのときに手に入れたんだ」と、買った店の中の雰囲気や、店主との会話の記憶が蘇ってくるわけです。「神保町の古書店街で、どうしても見つけられなかったのに、札幌の店で偶然見つけたんだった。あのときの喜びは格別だった！」とか「んん？　こんな安値で買ったのか」などと、感慨にふけったりします。

そのころ、自分が何に関心を持っていて、何を調べる目的でその本を手に取ったのか、〃過去の自分の好奇心〃と再会する、と言ってもいいでしょう。

人と同じで、本との出会いは偶然の導きによるケースが、多いものです。とかく、忘れてしまいがちな「出会いの喜び」を記録して、何度も味わう。ちょっとしたことですが、ささやかなしあわせを増幅させる、仕掛けになっています。

本を読み、その世界に興味が湧くと、巻末に載っている参考文献を、チェックする。さらに「読みたい本リスト」

古書は、購入した書店名、日付、値段を明記。本を開くたび、出会いの喜びを何度でも再現できる。

が増え、なじみの古書店に聞くか、インターネット書店で検索して入手する。タイトルが分かっている場合には、インターネットでの買い物は便利です。

ただし、ネットだけに頼っていては〝偶然の出会い〟による驚きと喜びは、望めません。やはり自分の足で歩き、店頭で出会うことが、重要なのです。こうして、まるで木の幹から枝葉が広がるように、わたしの知的探求は尽きず、深い森へとはいり込んでしまう。

それがまた、楽しいんですね。

いつの間にか四千枚

わたしが、長年の西部劇ファンであることは、先にお話しした通りです。最初のきっかけは、小学三年生のときに見たジェームズ・スチュワート主演の、映画『ウィンチェスター銃'73』でした。勧善懲悪の世界が、子供心にも分かりやすく、また銃撃シーンがすさまじくて、あこがれたのです。高校時代は、映画館にかよい詰めて、脳裏に焼きつけたガンプレーを、真似する程度でした。大人になったあと、会社を辞めて仕事場を構えてからは、コレクションにも熱心に取り組むようになりました。西部劇がすっかり廃《すた》れ、ほとんど映画も作られなくなった今、映像やグッズをできるだけ手元に残しておきたい、という心理が働いたわけです。

最初は、高校時代にスタートした、プログラムやポスターの収集でした。そのあとは、西部劇のビデオのコレクション。やがて、ＤＶＤなる薄い円盤が世に出回るようになると、すぐに切り替えました。

録画用のＤＶＤを大量に買い込み、それまで溜めたビデオテープを一本一本、ダビングしていきました。毎日、ワープロに向かいながらの〝ながら作業〟で、一日三〜四本。全部移すのに、九カ月もかかってしまいました。

よせばいいのに、新発売のＤＶＤもつい買ってしまうものだから、ますます増えてしまう。アメリカのオークションサイトで、日本では入手できない珍しい作品を、落札したりもしました。気づけば、なんと四千枚にまで増えてしまったのだから、自分でも呆れてしまいます。しかも、アメリカから買ったDVDは、「字幕なし」というハンディがある。リージョンコードのせいで、いまだに再生できていないものも、たくさんあります。西部劇コレクションを、すべて見終えるという目的を達成するのに、何年かかることやら。いったい、いくつまで生きるつもりなのか、自分でも分かりません。

本も然《しか》り。集めることが目的ではなく、「いつか読みたい」と〝少し先の楽しみ〟を、買っているわけです。これだって、いつ読み終えることができるか、あやしいものです。

オーダーメイドの楽しみ

人と同じじゃつまらない。いや、ひとさまが好きなものを否定する気はさらさらありませんが、なんでも自分流にアレンジすると愛着が湧くし、何よりアレンジを試みる過程が面白いのです。

西部劇好きが高じて、集め始めたモデルガンも、専門店に注文するときに、グリップの部分の材質やデザインを、特注するのが好きでした。グリップの材質は、通常はプラスチック製なのですが、どうしてもこだわりたい欲望を抑えきれず、「木製のグリップに取り替えてください」などとお願いして、完成を楽しみに待つのです。

もう昔のことですが、たまたま東急ハンズに入荷した、象牙《ぞうげ》の破片を手に入れて、グリップを特注したこともあります。加工を請け負う専門店が、いくつかあったのです。

手元に残った、モデルガンのコレクションの中には、銃身に唐草模様に似た繊細な彫りを施したものもあります。腕のいい専門の業者を見つけ、直接持ち込んで相談してお願いをしたのですが、注文するときから胸が躍りましたね。やはり自分の好きなように、いろいろ注文をつけるのが面白い。何も最初から自作せずとも、楽しみは得られるわけです。

逢坂流・語学上達のこつ

わたしに負けず、多趣味なある女性編集者が、教えてくれました。イタリア語の教室にかよったとき、生徒の年齢層が高いことに驚いた、と。第二の人生を楽しむために、「ずっと習得したかった外国語に挑戦したい」と考える人は、多いのかもしれませんね。

わたしはもともと英語が好きで、スペイン語も独習で読み書き、会話もおおよそマスターできたため、「どうやって勉強したのですか」と聞かれることが、よくあります。

思うに、語学をマスターするのにいちばん重要なのは、〝動機〟です。「勉強のための勉強」になっては、結局は身につかない。なんのために勉強するのか、その言語を使って何がしたいのか。その動因が明確であれば、自然とやる気は湧くし、吸収力も高まるはずです。わたしの場合は、「好きな小説の原著を英語で読み解きたい」「スペインで本場のフラメンコに接したい」といった強い動因があったから、それを叶える手段として、語学に挑んだのです。おそらく、ただ試験でいい点を取りたいとか、サークル仲間の前で格好をつけたい、とかいった程度の動機だったら、ほとんど身につかなかったと思います。

学習法は、先にもご紹介したオリジナルのイディオム帳が、大いに役に立ちました。

手持ちのテキストから、「これは」と思うスペイン語の会話例を見つけては、一枚ずつ丁寧に書き出し、暗記するというシンプルな方法です。シンプルですが、自分の手で書き、見ながら、声に出して、脳に植えつけるというのが、やはり効果的だったように思います。

ちなみに、手元に残るイディオム帳によると、「これは」と着目した会話例というのは、日本語訳にしてこういったものでした。

「この侮辱を、わたしはがまんせねばならないとは」「ご機嫌よろしゅう」。はて、これは一体どういう会話なのか?

英語についても同じように、イディオム帳を作っていましたが、映画のセリフから選ぶことが多かったですね。これはなかなか面白く、小説の会話の参考にもなるので、今でもときどき読み返します。

例えば、意中の男性に対し、「やっと二人きりになれたわね」というセリフの英語表現は、ちょっと思いつかない"I haven't seen you alone."

二人以外の人物がいなくなったので、こういう言い方になるのだ、と納得できます。名訳だと思います。

また、ある西部劇で出てきた、「いやならおよし」というセリフ。この元となる英語表現は“Take it or leave it.”でした。実に簡潔で、ぴったりの訳だと思いませんか。

そして、「はじめに」で紹介した例。アメリカの刑事ドラマだったと記憶していますが、“Stay with me!”という短いセリフが印象に残りました。これはどういうシチュエーションで使われ

丁寧に書かれた、イディオム帳の文字。自分の手で書き、見ながら声に出し、脳に植えつける。

たかというと、相棒の刑事が撃たれて倒れたときに、主人公が駆け寄って言った言葉です。日本語の字幕は「しっかりしろ！」でした。

　さらにさらに、せっかくだからもう一例。カフェでコーヒーのおかわりをすすめられたときに、「いえ、もうけっこうです」と断るときの英語表現。おそらく多くの人が"No,thank you."を思い浮かべたのではないでしょうか。教科書では、そう習うのが普通です。ところが、わたしが見た映画で出てきたのは、"I'm good."でした。わたしは十

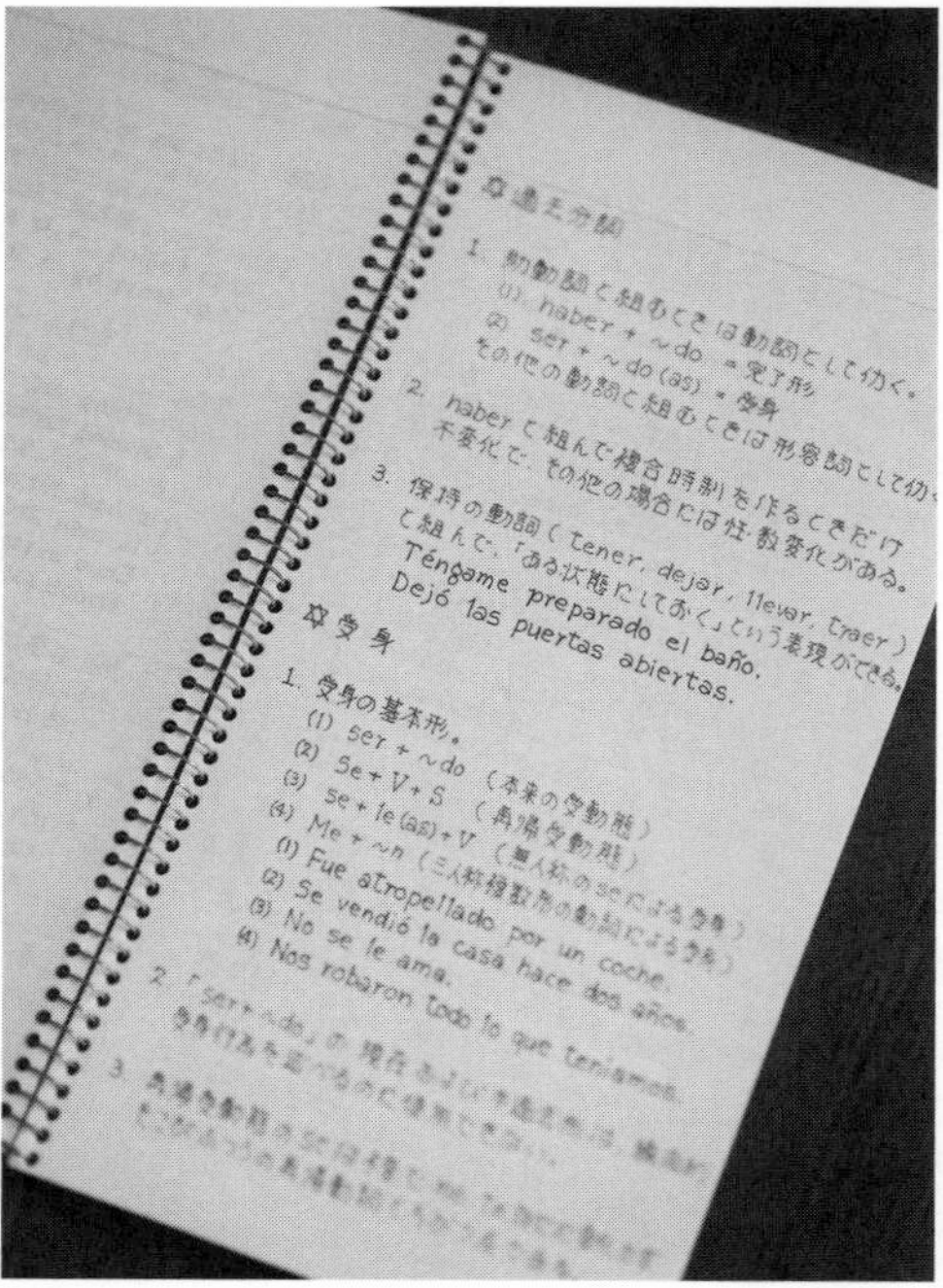

独習で見つけた、自分に合った勉強法で外国語の習得をするうちに、日本語も磨かれた。手元に残るイディオム帳を、今でもときおり読み返す。

分です、という意味の英語が使われているのだ、と知りました。

このように調べていくと、日本語のセンスも同時に磨かれていくので、一石二鳥になります。なんといっても、普段の会話に使える生きた表現を、身につけられるのがいい。学校のテストで、いい点を取ろうと思ったことはないけれど、こんな勉強ならいくらでもできる。楽しむのが一番の早道なのです。

五十を過ぎて、野球チームを結成

野球もまた、子どものころから親しんできた、大好きな趣味です。

小学校に上がるくらいのころ、家族四人で住んでいた小さなアパートの前の、ちょっとした空き地で、兄たちと野球遊びをしたのが始まりです。狭い場所でもできる「ゴロ野球」という遊びを、今の子どもたちは知らないかもしれませんね。ピッチャーは、ゴムボールを地面に転がし、バッターは手でボールを打つ。ボールを投げずに、ゴロゴロと転がしてやるから、ゴロ野球。もう少し大きくなると、三兄弟でキャッチボールをやったり、小学校の校庭に潜り込んで、本物の野球をやったり。楽しい思い出です。

博報堂にはいってからも、前述したとおり社内の草野球チームに所属して、打った投げたの大活躍（しつこいけど、表彰楯現存！）。住んでいた船橋市の町内会の、野球チームに在籍していたこともあります。喜寿（七十七歳）を超えた現在も、〝現役〟で二つのチームを掛け持ちしているのですから、野球人（？）として胸を張っていい、と自負しています。

一つは、開成高校の同窓生で結成したチーム。卒業三十五周年で集まったときに、昔話に花が咲いた勢いで「また野球をやろうじゃないか」「いいな、やろうやろう！」と盛り上がって結成。五十歳を過ぎてからチームを組めるなんて、いい仲間に恵まれました。

試合を重ねるうちに勘がもどって、ある試合では一イニングでホームランを二本、飛ばしたこともありました。走塁も全力疾走！　盗塁もアグレッシブに！　さすがに、滑り込みをするほどの危険は冒しませんが、どうせやるなら一所懸命。楽しみたいからです。

そうそう、チームメイトに、本人は一所懸命走っているつもりなのに、どう見てもちんたら走っているようにしか、見えない選手がいるんですね。いつも、監督に怒られているのですが、彼は中学一年のときから全力疾走しても、ちんたら走っているように見える、損なやつだったなと、おかしくなります。きっと彼もわたしを見て、何かを思っていることでしょう。

もう一つは、日本推理作家協会に所属する同志、ともいえる会員たちからなるチームです。一九九九年の春に、当時の理事長だった北方謙三君を説得の上、同協会員の河野《こうの》治彦《はるひこ》、真保《しんぽ》裕一《ゆういち》とわたしの三名が発起人となって開催された、第一回ソフトボール大会（於明治神宮外苑軟式グラウンド）が始まりでした。第二回以降は、会員チーム（酔狂ミステリーズ）と編集者チーム（偏執エディターズ）に分かれて、対抗試合を行うのが定例になりました。年に数回試合をやって、強化合宿もやるほどですから、なかなか熱心だと思います。だれがどのくらい、うまいかへたかなんてことは、選手たちの名誉のためにも、ここでは控えることにしましょう。

野球は、九人揃わなければできない、チームスポーツです。野球を通じて生まれる、人との交流もまた、人生の彩りになります。年を重ねるほどに、味わい深くなるものですね。

いつまでも動ける体を維持する

野球では、今でも全力疾走をしているぞ！　と豪語しましたが、わたしもシニアと呼ばれる年齢ですから、走れる体を維持しなければいけません。そのための地味な努力は、こつこつ続けてきました。

毎朝、起きて欠かさずやっているのは（コロナ禍でしばらく中断した時期がありましたが）、国民的エクササイズ「ラジオ体操」。第一と第二の二種の体操を真面目にやって、関節や筋肉を伸ばす。これはもう、二十年以上続いている習慣です。

加えて、腕立て伏せや反復横跳びもこなす。「なぜ反復横跳びまで⁉」と驚かれることが多いのですが、これにはれっきとした理由があります。守備でサードを守るとき、三遊間に飛んできた球をぱっと横飛びでキャッチ！ 球場を魅了する（？）華麗なるプレーを、まだまだやりたいからです。昔は難なくできたそんな動きが、いつの間にかできなくなっている、と気づいたときのショックで、「フットワークを鍛えなければ」と、自分を奮い立たせたわけです。あまり、ハードにやりすぎるとへたばるので、何事もほどほどに、長く続けるのがポイントです。

体操やトレーニング以外にも、仕事場のある神保町まで、地下鉄と徒歩で毎日移動しているのも、けっこうな運動効果があるのかもしれません。神保町の駅から、地上に出るまでには階段を何十段も、のぼらなければならない。また、古書店を巡っていると「わりと今日は足を使ったな」と、感じる日もあります。歩く距離はたいしたことがなくても、ちょっと早歩きをしたりして、さりげなく負荷をかけるのもいい。

こういった努力（?）の賜物《たまもの》か、体の筋肉のみならず、頭の回転もまだ衰えてはいないようです。

つい最近の、野球の試合でのことです。打席でツーストライクとなり、「ここで打たなければ三振だ」と追い込まれたわたしは、思いっきりバットを振りました。打った！　しかし、ボールはバットの下の方に当たって、足元の地面ではずみ、三塁側へぼてぼてのゴロになった。「まずい！　このままではアウトになる！」と瞬時に頭を働かせ、パッと足を押さえて「あいたたた……」と迫真の演技。すると、審判も相手チームの選手も「なんだ、ファウルか」という顔で見逃してくれて、首尾よく打ち直しになったのです。結果、次の一発がタイムリーヒットとなり、二点追加。プロも唸《うな》るに違いない頭脳プレー（？）をやってのけました。われながら「そこまでやるか？」と言いたくなりますが、わたしたちの試合では参加者全員に打順が回るので、一回の打席がとても貴重なのです。

かつて、広島東洋カープにいた達川光男《たつかわみつお》という選手は、デッドボールを受けた芝居をするのが、うまかった。あれこそ、勝利にこだわるプロ根性です。草野球でやる人は、あんまりいないでしょうけどね。

趣味仲間とディープに交流する

好きなものを好きなように楽しんでいると、同じような仲間との交流が始まる。

西部劇の愛好家の集まり、「ウエスタン・ユニオン」もその一つです。この種の同好会は終戦直後に発足したあと、つぶれては復活し、またつぶれては復活する歴史を、繰り返してきました。東京で例会をやると、地方からの参加者を含めて、七十人ほど集まります。この七十人という人数を、「たったそれだけ？」とみるか、「そんなにいるの⁉」とみるかで、あなたの世代が分かります。

われわれ、正統派を自負するファンが「西部劇」と呼ぶのは、一九四〇年代から六〇年代半ばまでの、ハリウッド西部劇。代表的な作品といえば、『真昼の決闘』『シェーン』『捜索者』『ＯＫ牧場の決闘』など（好きな作品を挙げ出すときりがないので自制）。

年に二回か三回、京橋の高架下に並ぶ店の一つ、「ゼストキャンティーナ」というメキシコ料理店（現在は閉店）を借りきって、とっておきの西部劇ビデオを流したり、順番にうんちくを傾けたり、「好きな俳優ランキング」を披露したりと、気兼ねなく西部劇愛を分かち合う時間を過ごすのです。三時間ほどやっても、まだ話し足りないというつわものどもが、場所を替えてさらに談論風発。なんとも楽しい時間なのですが、これが毎週だとさすがにきつい。年に数度だから、ちょうどいいんですね。

最近もこんなことがありました。

映画ファンで、わたしの本を愛読してくださっている、という大阪在住の男性から「たまたま東京に行くので、コレクションを見てください」との連絡。その方とは、これまでも手紙のやりとりが何度かあって、純粋に映画が

サイン入りの映画スターのブロマイド。めくるたびに、こんな人のものまで！　と驚くコレクション。

好きなお人柄という印象もあり、初めてお会いしてみたのです。会ってみると、ほぼ同年代の、白髪のオジサンでした。

お連れした店は、神保町のレストラン「神房《じんぼう》」と、書斎がわりの喫茶店「ティシャーニ」。そこで見せていただいたのは、往年の女優のサイン入りブロマイドのファイル、数冊でした。彼は、わたしに劣らず几帳面で、きっちりと整理されていました。ページをめくるごとに、「この女優はきれいだった。確かあの作品で……」と、お互いに話が止まらない。さらに、ブロマイド談義は一時間ほど続き、初対面ながらホットな時間を過ごしたわけです。

わたしも負けじと、自分のコレクション自慢で、対抗しました。お互いに「おぬし、やるな!」とにこにこ顔でした。趣味でつながる交流というのは、話題がどんどん広がって、話が尽きない。だから、心地がよいのでしょうね。

西部劇、ギター、野球、さらに将棋といった趣味もありますが、趣味が変われば交わる人も変わる。好きなものを共有できる、緩やかな人間関係を複数持っていると、どこにもかたよることなく、幅広いお付き合いができます。
多趣味な人生、ぜひお試しあれ。

好きな女優は、だれも知らない（？）オードリー・ロング、ルシル・ブレイマー、ジャニス・カーター、ロンダ・フレミング、アーリン・ダールなど。

学生時代からかよいつめた神田神保町。好きな街で、日々過ごせるしあわせを実感している。仕事場を構えて、四半世紀が過ぎた。

第六章

〝終活〟より〝修活〟だ！

～断捨離するより愛着品を楽しみ尽くし、
争いごとは遠ざけて、上機嫌で過ごす

好ききらいに忠実に

人生の後半になるほど交流が狭まり、世界が閉じてしまうのは、やっぱり寂しい。「逢坂さんは、そうは見えないから羨ましいです」と、言われることがあります。

かといって、際限なく付き合いを広げるのも、疲れますね。ほどよい距離感を保ちながら、自分にとって楽しい、心地よいと感じられる付き合いを維持、発展させていくというのが、理想でしょう。

わたしも日ごろから、「人間関係をよりよく！」と気合を入れて、過ごしているわけではありません。ごくごく自然体です。ただ一つ言えるのは、自分の〝好ききらい〟に対しては、忠実なことです。そうは見えないらしいですが、実はけっこう、好ききらいがはっきりしている方なのです。

基本的に、話していて心地よい、と感じられる人と会いたい。だれでも、そうですよね。気の合う人と、楽しく会話できる時間を増やしていけば、自然と人間関係で悩むことも、少なくなるわけです。

とはいえ、「顔も見たくないほどいやな相手」というのが、なかなか浮かんでこないところをみると、わたしはよほど人に恵まれたのでしょう。たいていのことは面白がれる、楽天的な性格が幸いしているようです。

一番の刺激は、がんばる同世代

「生涯一画家」として絵筆を握り続け、百四歳で大往生した親父を見ていたこともあり、できるだけ長く、好きな小説書きを続けていきたい、という気持ちはあります。

そのためには心身を健康に保ち、ストレスを遠ざけて、知的探究を深める意欲、筆力を磨く貪欲さを、持ち続けなければいけないわけです。もともと、趣味の延長として好きで始めた小説なので、継続するのにあまり気合は要しない方ですが、やはり〝刺激〟は大事です。

一番の刺激のもとは何かというと、「よきライバル」の存在でしょうね。周りを見渡すと、ぎらぎらと気力を放ち、第一線に立つ同世代がいて、それが何より刺激になるのです。例えば、北方謙三君などは「九十歳まで書く！」と宣言しているから頼もしい。がんばる同世代の存在をときどき確かめることが、大いに励みになっています。何も頻繁に会ってその姿を確認したり、仲よく付き合ったりしなくても、「ああ、あいつもがんばっているな」と感じられるだけで、気力が満ちてくるのです。

またわたし自身も、同世代を元気づける存在になれていたら、これほどうれしいことはない。

とはいえ、どんなに元気でも、突然……ということはあり得る。あるとき、担当編集者とその上司との会食の席で、「わたしに何かあったときには、葬儀の取り仕切りをお願いしますよ」と、冗談まじりに伝えたことがありました。すると、目の前の二人は数秒沈黙。そして、わたしより三十歳ほど若い編集者が、「何をおっしゃいますか、逢坂さん！」とにっこり。「きっとわたしたちの方が先に逝っちゃいますから。もっと若い二十代の○○（そのときの現場担当編集）に声をかけておいた方がいいですよ！」。あら、そうなの。

終活？　まっぴらごめん！

世の中ではシューカツがはやっているようです。わたしに関係のあるシューカツといえば、「就活」ではなく「終活」の方。

人生の終焉《しゅうえん》に向けて、身の回りを整理しましょう、という心得です。要は、好きで溜め込んだものを取捨選択して、「断捨離」しなさいということです。

しかし……。正直に告白します。終活には、あまり前向きになれません。いや、やらなきゃいけないと、頭では分かっているのですが、なかなか簡単ではないのです。

理由を述べます。まず、あまりにも「捨てられないもの」が、多すぎる。

仕事場に、四本か五本置いてあるギターも、すべて思い入れのある名器。特に、二十年ほど前に手に入れた一本は、サントス・エルナンデスという名工が、二十世紀の前半に制作したフラメンコギターで、奏でるたびにその音色に、聴き惚れます。同じ名工が、同じ年に制作したクラシックギターも、一台持っています。手放すなら、確かに引き継いでくださる方に、と考えつつも、指が動くうちはまだまだ自分で弾きたい、という思いが勝るのです。

そして、本です。

半世紀かけて、こつこつと国内外から集めた資料には、今はもう入手できない貴重なものも多く、処分するという気持ちにはなれません。

特に、小説を書くための資料として、集めた本の量は相当なものです。例えば、全七作の〈イベリア〉シリーズを執筆するベースとなった、スペイン内戦と第二次世界大戦関係の資料は、インターネットなどない時代に、イギリスやスペインの現地で探して買ったもの。その時代を語る、生き証人がほぼいなくなった今となっては、たいへん貴重な資料です。

それに匹敵するほど集めてしまったのは、西部開拓史の資料です。例えば、『OK牧場の決闘』というタイトルで映画化されましたが、一八八一年にアメリカ・アリゾナ州のトゥームストーンで起きた、アープ兄弟とクラントン一味の有名な銃撃戦。当時の裁判記録の復刻版なんて、日本で所有している人はめったにいないでしょう。あくまで愛好家としての所有なので、隈《くま》なく読み込んでいるわけではありませんが、もしも西部開拓史を専門とする研究者がいたとしたら、喉から手が出るほどのお宝なはずです。しかしながら、その価値を理解する人は、ほんのひと握りに違いなく、下手に放出してしまうと二束三文で、売られかねません。

いちばん悲しいのは、せっかく体系ができあがった資料が、ばらばらに分散してしまうことです。一度崩れてしまうと、再び体系を構築するのは、ほぼ不可能でしょう。

だから、できる限り守り抜く、という決意ではいるのですが……。

もしもわたしが死んでしまったら、そのあとはどうなってしまうのか？　心やさしい妻や娘、孫たちが、資料館でも建ててくれるか？　いや、維持運営費だけでも大変な負担になるので、「建てなくてけっこう」と伝えてあります。

本来は大学や、学術機関に寄贈すればいいのですが、そうした施設は同様の申し入れがあとを絶たず、ほぼ断られると聞きます。どうしたものかと悩んでいたとき、前出のS君（開成の同級生）の早大時代の友人、荒川区の西川太《にしかわた》一郎《いちろう》区長が、「うちに新しい図書館ができたので、引き受けましょう」と言ってくださったのです。なんとありがたいお言葉！

かくして、すでに執筆を終えた作品の資料から順に少しずつ、荒川区の区立図書館「ゆいの森あらかわ」に寄贈することが決まり、ほっとしているところです。寄贈後は、「ここにこんな資料が保管されています」という告知を、区の広報誌などに載せてほしい、という希望は伝えてあります。

ところが、ほっとしたのも束の間、きれいに空いた仕事場の本棚がたちまちのうちに、新たに購入した本で埋まっていくではありませんか。この問題への対処法は、まだ見つかっていません……。

シャープの〈書院〉よ、いつまでも

一度惚れたら一途なので、物持ちも抜群にいい。

執筆用具として長年欠かせない相棒は、シャープ製のワープロ〈書院〉です。パソコンではなく、ワープロであることに注目していただきたい。「ワード・

プロセッサー」という名の通り、日本語の文章を書くことに特化して設計された機械だから、文字変換や改行、検索など、執筆と編集に過不足ない機能が、揃っているわけです。ワープロに比べて、パソコンの漢字変換のレベルはひどいもので、とても使えたものではありません。

同世代の作家の中には、手書きにこだわる人もいますが、わたしはワープロを使い始めるのが、かなり早い方だったと思います。勤めていた博報堂が、最新鋭のコピー機やファックスと

整然と片付けられた仕事場にあるのは、シャープ製のワープロ。ごく初期のころから、執筆に導入した。

いった、オフィス機器を積極的に導入する社風でした。パソコンを一人一台支給したのも、退社する少し前の、一九九〇年代半ばだったと思います。ワープロも、かなり早い時期に、各部署に配備されました。まだ、ブラウン管テレビのように分厚く、図体の大きかった初期のころです。

それを、実際に使ってみてぴんときたわたしは、会社で練習（？）を重ねた上で、自分用にパーソナルワープロを一台、購入しました。当時（一九八〇年代半ばごろ）の値段で三十三万円だったと記憶しています。

このワープロは、打った文章が液晶画面に一行しか、表示されない。根気よく改行を繰り返して、一本の小説を書き上げ、「この機器は、今後もきっと執筆を助けてくれる」と確信しました。それで、その後売り出された、九インチのブラウン管型を、二台目に購入したのです。値段はなんと八十万円。前年度の原稿料収入を、全部はたきました。自分が好きなことに、お金と時間を惜しまないのも、善しあしですがね……。

そのうちパソコンが普及し始め、店頭でワープロが売られるスペースが、みるみる小さくなってくると、わたしは焦りました。頼れる相棒を、手放してはならない。そこで、退社するときに「故障したときの予備」も含めて、最上位機種を三台購入、確保しました。できるだけ長生きしてくれるように、三台を順番に使ってきたのですが、とうとう一番古いものの電源がはいらなくなってしまった。そのときはまだ、シャープに問い合わせしたら、技術者が駆けつけてくれて、内部に溜まった埃（！）を取って、直してくれました。しばらくしてまた故障すると、今度は「基盤が残ってないから直せない」と、一蹴されました。なんとすでに、メーカーがワープロの生産を終了していて、部品がないというのです。大ピンチです。

なんとかならないものかと、祈るような気持ちで過ごしていると、たまたま見たNHKの放送で、三重県の山奥に「家電ならなんでも修理できる名人」がいる、という情報を得た。そこで、その「今井電子サービス」という電器店に電話すると、留守電に切り替わり、「現在、千件以上の依頼があり、すぐには受けられません」。一瞬ひるんだものの、あとがないわたしはめげずに、何度もかけ直しました。やがてつながり、修理を依頼することができて、今井名人が瀕死だった相棒を、救命してくれたのです。開発したメーカーもお手上げだというのに、お見事！　素晴らしい職人芸に助けられました。その後、液晶やキーボードもだめになり、いよいよ追い詰められてきました。なんとかしてくれ！

日本語の文章をすらすらと書くのに、シャープ製のワープロ（ＷＤ－ＭＦ０１）ほど、優れた機械はない。メーカーが、このワープロをフロッピーディスクではなく、ＵＳＢかＳＤカードを使えるようにして再発売したら、売れること間違いなし、と断言しておきます。サブでメール機能を加えたら、もっと売れます！

見るたびに新鮮な発見あり

年を重ねると、なんでも「分かったつもり」になりがちです。しかし、決してそんなことはない。知ろうとするたびに、新たな発見があるものだ。よくできた映画が、それを教えてくれるのです。
同じ作品を繰り返し見ると、語り継がれる名作は、ワンショットごとに監督が、魂を込めて撮っていることが分かります。一度や二度では、気づかずに終わる演出の妙が、回数を重ねるごとに見えてくる。

職人肌の映画監督、ジョン・スタージェスが撮った『ＯＫ牧場の決闘』（一九五七年公開）は、スクリーンの隅々にまで緻密な演出が行き届いた、名作の一つ。ハリウッド黄金期の二大俳優、バート・ランカスターとカーク・ダグラスの競演が売り物ですが、何十回と見るうちに目を離せなくなったのは、『エデンの東』（一九五五年公開）で、アカデミー助演女優賞を獲った名優、ジョー・ヴァン・フリート。カーク・ダグラスの情婦役で出てくるのですが、決して美人とは言い難い彼女の演技は、顔の表情や指先の動きひとつで、感情を伝えるのです。別れのシーンで、部屋を出て行きながら、ベッドの支柱に掛けられたダグラスの帽子の先を、いとおしげに触る。その指先だけで、男への未練を表現する。その意味するところは、一度見ただけではまず、発見できないでしょう。

同じように、『シェーン』（一九五三年公開）も何回か見て、やっと気づいた描写があります。主人公のシェーン（アラン・ラッド）と対立する、殺し屋のウィルスン（ジャック・パランス）。このウィルスンが、酒場の場面に登場するたびに、犬が尻尾を垂れてすごすごと退場して行く。そのシーン

好きな映画は繰り返し鑑賞する。語り継がれる名作には、見るたびに新たな発見がある。

が二度か三度、繰り返されました。その描写によって、ウィルスンの不気味な恐ろしさを、表現しているんですね。こういった発見は、小説を書く上でも非常に、勉強になるわけです。

繰り返し、同じ作品を鑑賞し、そのたびに「ここは今まで気づかなかった！」と感動する。さらにまた見て、新たな発見をする。これぞ、時間をかけて鑑賞を重ねる醍醐味、というものでしょう。

話術はメモから

会話に、ウィットを織り込めるかどうか。これは、人付き合いを生涯楽しむ上で、重要なテーマです。

年齢を問わず、話題が豊富な人というのは、魅力的ですね。ある程度年をとると、人前でスピーチを頼まれる機会が増えることもあり、「話術を磨きたい」

と考える人は多いのではないでしょうか。そこまで真面目に考えずとも、人と楽しく会話が続けられたら、人生もさらに豊かになるでしょう。
話のネタや、言い回しのバリエーションを増やすのに、役立ったかもしれないと思い当たるのは、昔から落語や戯曲に親しんできたことです。フランスのモリエール、ボーマルシェ、オーストリアのシュニッツラーなど、優れた戯曲家の作品を読むと、センスのいい会話によって、物語が展開されていく。これは、小説の会話を磨く上でも、大変参考になりました。

ボキャブラリーは、いかに引き出しを増やすかが、ポイントです。小説や映画の中で、気のきいたセリフに出会ったときは、すかさずメモをするという習慣が、すっかり身についています。小説を書くときの参考にもなるし、日常会話やスピーチの中で、活用できるのです。読んだ本や、見た映画からピックアップした、〝気のきいた会話表現〟や〝真似したいギャグ〟を書き写した、ネタ帳のようなものです。ぱらぱらと、読み返すだけで面白く、つい笑ってしまう。

「ここ数年で値打ちの下がったもの。それは女の裸とルイ・ヴィトンである」。

これは確か、昔の映画か何かに出てきた警句です。時代を感じさせるので、そのままは使えませんが。

「泣きはせで　泣くまねするを　泣きながら　泣かぬ顔する　芝居見物」。

これは、『婦女今川』という人情本に出てきた狂歌で、「芝居をやっている役者が、泣きもしないのに泣く演技をしているのを、観客は本当は泣いて

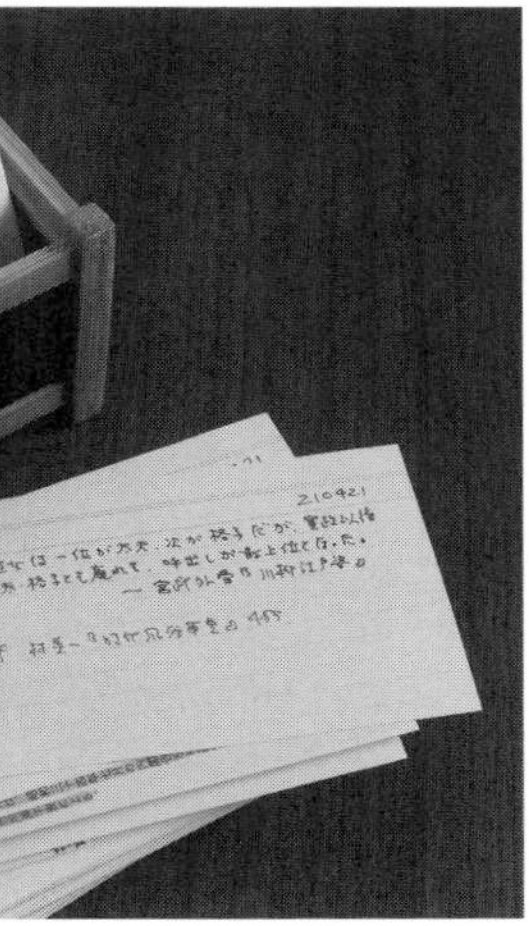

小説や映画で気になったセリフは、メモする。イディオム帳同様に、丁寧な文字で書かれたカード。

いるのに、泣き顔を見られまいと泣かないふりをしている」という情景をうがったもの。こういう表現に出会うと、「面白いな」と感心しながらも、すぐ忘れてしまう。だから記録する。

「彼の頭の中には、たくさんの引き出しがある。ときどき、取手が取れてるがね」「夫は、わたしと結婚してからなぜかしらがんばって、危険物取扱者の資格を取った」といったジョークから、「ポストのように無口な男だ」「金庫のように無表情だった」といった比喩表現、ときには真面目に、三島由紀夫の『文章読本』から引いた、

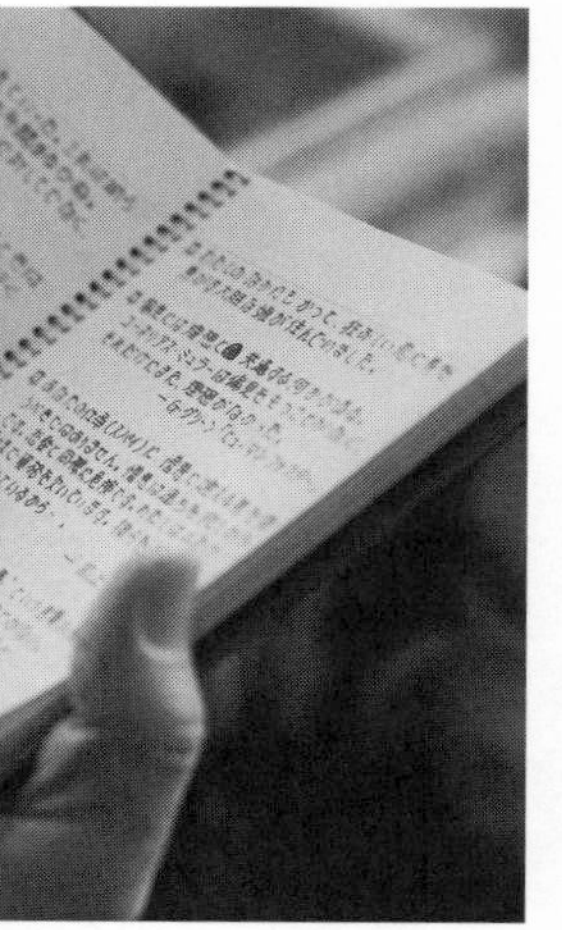

担当編集者たちの間で、逢坂氏のメールは、ユーモア溢れることでも有名。その秘密はこのストックに？

「風俗は滑稽に見えたときおしまいであり、美は珍奇からはじまって滑稽で終わる」など。

ユーモアと、ウィットのきいた表現をストックしておくと、何かの拍子に役立つことがあります。気心の知れた編集者にメールを送るとき、文面にギャグをまぶす際にも役立ちますしね。日付と引用元も、一緒にメモしておくと、なおよし。普段のメモ書き習慣で、遊び心を養っています。

熊本からの便り

ときどき、読者からお手紙をいただくことがあります。できる限り、ご返事を書くようにしています。すると、また返事がきて、さらに返すうちに、文通のような交流が始まって……。数は多くありませんが、そんな付き合いになる方が、何人かおられます。

その一人が熊本在住のMさん。わたしより十歳以上年長の男性です。Mさんと手紙のやりとりが始まったのは、わたしが熊本日日新聞に連載した小説の中の、ある表記に対していただいた投書が、きっかけでした。

返事を書いて送ると、またMさんから手紙が届き、「これまで何度か、同じように手紙を書きましたが、作家本人から返事がきたことは、一度もありませんでした。お手紙をくださったのは、逢坂さんただ一人です」と、そんなことが書いてありました。褒められた気分で、ついうれしくなって、また返事を書いたわけです。

以来、手紙のやりとりが続き、気づけば三十年ほどになりました。その間に、「孫が中央大学の法学部にはいりました。先生の後輩になりますね」「大学を卒業した孫が、弁護士になりました」といった報《しら》せも、手紙の中で読みました。

Mさんとは、とうとう一度も会わずじまいでしたが、一度だけ電話で話したことがあります。二〇一六年、熊本で大きな地震が発生したとき、無事だろうかと心配になり、手紙に書かれてあった電話番号に、かけてみたのです。ご本人が出てこられて、「大丈夫です。今は車で寝起きしていますが」という声を聞くことができました。そのまま五分ほど話しましたが、いい思い出になりました。

その後、Mさんは体調を崩し、病院にはいられたようですが、献本するたびにお礼状をくださいました。

そんな交流をうれしく感じていたのですが、二年ほど前の正月にMさんの息子さんから手紙が届き、「父が亡くなりました」と知らせてくださいました。とても寂しく、残念に思いました。

生前に、一度でもお会いしておきたかった、と後悔が募りますが、長期にわたる文通が、お互いの人生に彩りをそえてくれた、と考えたいものです。

不便から学ぼう

もっと便利に、もっと速く。

人間の「楽」を求める欲望は底が知れないもので、新たな文明の利器はどんどん生まれ、広がっていきます。

それは素晴らしい、と評価されるべきことかもしれませんが、わたしはどうしても危機感の方が先に立ってしまうのです。

安易に、便利さだけを求めることに慣れると、大事な脳みそを使って工夫したり、考えたりする時間を惜しむようになる。使わなければ、脳の機能は衰退するだけ。一度、さぼることを覚えてしまった人間は、果たして立ち直れるのか？　老婆心ながら、心配でならないのです。

特に警戒すべきは「スマホ」、スマートフォンです。あれは、ちょっとのつもりがどんどん時間を、吸い取っていきます。病院の待ち時間や、バスが来るまでのちょっとした時間に、「暇つぶし」のつもりでスマホを眺める癖が染みついてしまうと、画面の中の雑多な情報に気を取られ、本来の自分の興味や関心を見失ってしまう。見るなら時間を決めるなど、自分を律する必要がありますね（スマホを持たないわたしも、パソコンでプロ野球の珍プレー集など見続けて、はっとすることがありますが）。

暇つぶしのために用意するなら、スマホより文庫本。わたしは常に一冊か二冊は活字の本を、持ち歩いています。

最近は、辞書の引き方を知らない子どもも、増えたそうです。「紙の辞書は重いので」「ネットで検索すれば十分」と言うけれど、目的物に早くたどり着けるのを当たり前、と考える人間が増えるのは怖いことだ、と思います。

古来、人は不便を乗り越えようと、知恵を絞ることに喜びを見出し、思い通りにいかない筋道から、多くを学んできたはずです。その努力と学習がなくなったら、逆に怖いと思いませんか？　ある程度の不便さを忍ぶことによって、脳や身体機能を鍛えていくのが、あるべき姿ではないでしょうか。自分はどうだ、と言われると少なからず、たじろぎますが……。

ＤＩＹの楽しみ

なんでも安く、簡単に手にはいる世の中です。しかし、あえて自分で手作りする楽しみを選ぶ。独自の創意工夫を凝らし、手を動かして何かを作るのは、楽しいことです。昔から、できればなんでも自作する、ＤＩＹ（Do It Yourself）が趣味でした。

よく作ったものの一つが、本の表紙を包むカバー。お菓子屋さんなどの、包装紙を切って折って手作りするというのは、決して珍しくないかもしれませんが、わたしはさらに〝絶対に抜け落ちないカバーのかけ方〟を編み出しました。本を読んでいるときに、何かの拍子にすぽりとカバーが抜け落ちるのを、なんとかしたい。そう考えたのが、きっかけでした。

専門店を探せば、手にはいるものもありますが、あえてせっせと自作する。「買う方が早い」なんて考えるのは野暮《やぼ》で、時間をかけてゼロから作り上げるプロセスそのものが、楽しいのです。

本を並べるための棚もＤＩＹ。棚といっても簡単なもので、百円ショップで買ってきた薄い板を組み合わせて、木工用接着剤で長方形の箱を作り、それを段状に積み上げていくだけ。シンプル・イズ・ベスト。地震でも起これば、一発で崩れること間違いない貧弱さではありますが、自分の頭の中で描いた設計図の通りに、ものができあがることにわくわくします。

考えてみれば、小説というのは「ＤＩＹ」の最たるものだ、と思います。自分好みの物語を、だれよりも自分が楽しみながら、手作りする。至福のエンターテインメントです。

〈便利〉が安く、早く手にはいる今の時代には、ＤＩＹの楽しみを持てることが、ぜいたくなのかもしれませんね。

デニムを着こなすには

「逢坂さんはデニム愛好家ですね」

自分ではそんなつもりはなかったけれど、そう言われることが、たびたびありました。

確かに、デニムは昔からよく身につけていて、日常の散歩から気の置けない人たちとの食事、ちょっとしたパーティーまで、デニムの上下を着て出かけることは多い。デニムと合わせて、革ジャンを着ることもよくありますね。わたしの年代では、珍しいと思われるのか、雑誌の「サライ」からデニムファッションの取材を受けて、気分よく写真に収まったこともありました。二十年ほど前には、今も愛用する「パパス」の、広告モデルになったこともありましたね。

デニムのルーツは、西部開拓時代の作業着。西部劇ファンだから、デニムを着るのである！　なんて気負いはまったくなく、ただ着心地がいいので、昔から着ていただけのこと。メーカーは、若いころには定番の「リーバイス」、五十代にはいってからは「ボス」を選ぶことが多くなり、最近はよりゆったりとした「パパ

デニムに革ジャン姿。帽子、スニーカー、そしてマフラー。いかにも楽チン！

ス」のものが、多くなりました。

　これも、明確な意図で選んでいるというより、女房と連れ立って出かけた百貨店で、言われるがままに袖を通し、おだてられるがままに買っている、というだけです。「これでなければ」と、あまりこだわらず、周りの意見に任せるというのも、気が楽なものです。

　ただし、〝着慣れ〟というものはごまかせないもので、長年馴染んでいる服は年を重ねても、しっくりとなじみやすい。

　会社を定年退職したあとに、「スーツ以外に何を着ていいか分からない」と、戸惑う紳士諸君も少なくない、と聞きます。もしも、読者の方が、「こんなファッションに、身を包んで人生を楽しみたい」という日常着のイメージがあるのなら、ぜひ今からでもスーツ以外のファッションになじんで、体を慣らすようにおすすめします。

夫婦共通の趣味は食べ歩き

女房とは、いわゆるお見合い結婚でした。堅苦しいものではなく、例の開成高校のS君のつながりで、紹介されたのです。一九七五年の春に初めて会って、その年の十月二十六日に結婚しました。わたしが三十一歳で、彼女は二十六歳。初対面の日には、新宿の映画館で『大地震』を見て、トンカツを食べたのを覚えています。

共通点は末っ子同士だったこと。間を取り持ったS君が「お互いにわがままで喧嘩もするだろうけれど、男が譲らないとだめだぞ」と言ったことを女房はよく覚えていて、いまだにそれを引っ張り出してきます。

普段から外食や、買い物に一緒に出かけることも多いので、世間一般の熟年夫婦に比べると仲がよい、と見られるようです。食の趣味が同じ、というのがよかったですね。外食が、あまり好きではない夫婦もいるようですが、わたしたち夫婦は食べ歩きを楽しむ感覚が、一致していたのが幸いでした。これまで「明日は何か食べに行こうか」と言って、女房に反対されたことは、記憶にありません。

「どこか行ったことのない、美味しいお店に行きたいから、調べておいてね」と言われた日には、情報網を駆使して調べます。ちょっと気のきいた店に連れていくと、「いいお店ね。だれと来たの?」とにやにや。「とんでもない、一所懸命調べて見つけたんだよ」と瞬時に返すも、不自然に鼻がぴくぴくしたりして。

女房は、わたしよりよほど頭の回転がよく、気のきいたギャグをぽろっと言ったりする。「なかなか面白い」とわたしがそれを覚えて、まるで自分で考えたかのように、外で使うこともあります。うっかり女房の前で使ってしまうと、すかさず目の色が変わって、「それ、わたしが教えたギャグじゃないの」。著作権には厳しいタイプです。

商売人の娘だったからか、貯金と倹約がうまく、家計は一切任せています。結婚したころに、博報堂からもらっていた給料は、確か十五万円ほどだったか。そのうち五万円が家賃で、あと五万円はわたしの小遣いです（ほぼ本と趣味道楽に、消えていった！）。残りの五万円で生活費をやりくりし、おまけに貯蓄までこつこつしていたのだから、見事なものです。普段の家事育児も女房に任せ、わたしは洗濯機すら回せない、昭和の夫の典型です。

料理は、女房が体調が悪いときに、作ったこともあります。できるのは、チンジャオロースくらい。わたしは根っからのＤＩＹ気質だから、料理に凝り出すとどこまでもはまりそうで怖い！　というのを言い訳にしておきましょう。

まだまだ捨てたもんじゃないぞ、街中《まちなか》の人情

薄情な世の中になった、と言われて久しい。確かに昔と比べれば、寂しい気持ちになることもありますが、「まだまだ日本の街中の人情は、捨てたもんじゃないな」と、ほっとする出来事にも遭遇します。

少し前、仕事場の鍵を落として冷や汗をかいたときも、見知らぬ人の人情に助けられました。午前中の仕事を終え、昼食ついでにいつもの古書店巡りをして、仕事場にもどろうとしたら、おや？　ズボンのポケットに入れたはずの、キーケースがない。服のどのポケットにもはいっていない。鞄にも見当たらない。落とした！

まずい、これは困ったと、慌てて心当たりのある道をもどって探したけれど、見つからない。当然ながら、仕事部屋にはいれないと、仕事にならない。もし

も悪いやつが拾ってわたしのあとをつけ、こっそり泥棒にはいったりしたら……と、悪い想像も膨らむ。

しかし、よい方の想像もしてみました。紛失に気づいて一時間も経っていないけれど、もしかして、だれかが交番に届けてくれてはいないだろうか？ 一《いち》縷《る》の望みをかけ、近くの交番まで足を運んで尋ねてみると、「届いています」。なんと届いていた！

安堵と感激のあまり、そのときはただ、「ありがとうございます」と、お礼を言って鍵を受け取り、交番をあとにしました。無事に仕事場にもどり、心を落ち着けてみると、「拾って届けてくださった方に、お礼をしなければ」という気持ちになりました。

和菓子店「さゝま」の和菓子を買って、再び交番に行き、「これを拾ってくださった方に渡していただきたいのですが」と頼んだところ、「その方はお名前も言わず、『持ち主からのお礼は要りません』と言って、帰ってしまいました」というではないですか。粋な人だな。「そうでしたか。では、よかったらこの和菓子、ここの交番の皆さんで食べてくださいと渡そうとしたのですが、「いえ、そういうものは受け取れません。通常の仕事をしたまでですから」と丁重に辞退される。

仕方ないから家に持ち帰って、女房と二人で和菓子を堪能しました。鍵も見つかった上に、美味しいおやつまで……。なんとも満たされた一日でした。

若き編集者に出した〝宿題〟

担当編集者は全員、わたしより若い。もう喜寿ですから、当たり前ですね。年とともにしみじみ感じるのは、若い編集者から得られることが多い、という事実です。

何より、話をしていて楽しい。新鮮な意見や、わたしの興味や行動の範囲では知り得ない話題を、どんどん提供してくれるのです。もらうばかりでは申し訳ないので、こちらも年長者としてできることは、して差し上げたい。ただ、いかにも上から目線で教えたり、考えを押し付けたりするのは、性に合わない。そのため、ちょっと変わった方法で、コミュニケーションを試みたりしています。

長年付き合いのある某小説誌の、新担当は新入社員でした。編集長も同席した会食で初めて話してみると、なかなか聡明で礼儀正しい好青年です。しばし会話を楽しんだあと、彼に〝宿題〟を出しました。

それは、昭和三十年代初めのころに、朝日新聞の入社試験で出された問題です。数文字だけ穴あきになった日本語の表現を、ひらがなで正しく埋めて完成させる、というもの。

例えば、「草むらに○○く虫の音」なんていう問題であれば、「○○」に該当する答えは、「すだ」になる。現代の日常会話では、あまり使われなくなった言葉なので、普段からよく読書をしていなければ、正答できないレベルでしょう。

全部で二十一題。「先輩に聞いてもいいし、辞書を調べてもいいが、万が一先輩が答えられないと、新人に対して格好がつかなくなるから、できれば自分で調べて解くのが、いいと思う」と助言を添えて、問題を渡しました。辞書で調べようにも、普通の調べ方では答えは導けない。調べ方も含めて勉強になるだろう、と考えたわけです。

結果は、お見事！　彼は、期待以上に高い正答数を出して、わたしを驚かせました。

「古きよき時代の日本語を大切に、正しく使える編集者であってほしい」という願いを、口に出して伝えるのは簡単です。でも、こんな宿題形式で試してみるのも、いいんじゃないかと思います。

さて、次はどんな宿題を出してみようかと、アイディアを練っているところです。

調べずにはいられない！

わたしはどうやら、「自分で調べて疑問を解消し、理解してすっきりしたい」という欲求が、人よりも強いようです。日本語の使い方で、ちょっとでも疑問に思うことに遭遇すると、何がなんでも調べずにはいられない。

特に、日本語の誤用に関しては、はっきりと白黒つけたいので、辞書や文献で納得いくまで調べて、結論を得るようにする。大抵の疑問は解決してきたのですが、いまだに謎のままなのが「まく」にどの漢字を当てるかという問題。警察官や探偵が疑わしい人物を尾行しているとき、「しまった！　まかれたぞ！」というふうに使われる、あの「まく」。ミステリー小説には、たびたび出てくるこの表現に当てる漢字は、「巻く」だと思っている読者は多いのではないでしょうか。

わたしも長年そう思っていたのですが、あるときにふと「果たして本当にそうなのかな？」と調べてみると、辞書には「蒔く」と書く、とあるではないですか。ここで、リサーチ根性に火がつきました。

尾行は「巻く」ものなのか、「蒔く」なのか⁉　次に取り出したのは、アクセント辞典です。アナウンサーや司会業など、話のプロが使うもの。それによると、「巻く」は後ろの「ク」にアクセントがあり、「蒔く」は頭の「マ」にアクセントがある。しかし、「尾行をマく」なんて、聞いたことがない。

次に頼ったのは、アクセントに厳しいことで有名な、ＮＨＫ。ＮＨＫでは、「まく」にどんなアクセントをつけているのか？　これで「マく」と言っていれば、辞書通りの「蒔く」で確定して、すっきり解決！　というわけです。ところが、実際にＮＨＫで放送された刑事ドラマを録画して確認してみると、何度聞いても「尾行をまク」と聞こえる。やっぱり「尾行を巻く」なのか？　しかし、辞書を複数調べる限りでは、やはり「尾行を蒔く」とある（正確には、一社だけ「巻く」とありました）。

最終手段は、ＮＨＫに問い合わせてみるか、高名な国語学者に質問するしか、なさそうです。だれに頼まれるわけでもないが、徹底的に調べる行為そのものが、わたしの趣味なのかもしれませんね。

機嫌よくいる。それが一番

「逢坂さんは、いつもにこにこ、穏やかですね。非常識で失礼な相手に対して、怒るようなことは、ないんですか？」

わたしを長年知る編集者から、そう言われました。確かに、人に対して、怒るということはあまりない。

「そうですか？　むっとするようなことはないですか……ぶつぶつ」

彼女が食い下がるのには、根拠があるらしい。若手編集者がやらかした、様々な無礼に対する、大物作家からのクレームに、苦労しつつ対応してきた経験から、「作家は非礼な編集者に腹を立てるもの」という思い込み（？）が、すでにできあがっていたようなのです。なるほど、なるほど。そういうものですか。

腹を立てた経験ね……と、記憶をたどってみても、とんと思い出せない。本当になかったのか、ただ忘れているだけなのかも、定かではない。一つ、確かなのは、わたしは相手の行動に対して、不機嫌になるようなことは、めったにない。人間ができていると自慢しているのではなく、単に〝不機嫌な時間〟になるのが、いやなのです。相手に腹を立てて、不機嫌になるくらいなら、自分がちょっとがまんしてやり過ごして、機嫌のいい時間を保つ方が、ずっといい。

こんな調子だから、だれかの言動に対して、その場に居合わせた他の人から、「あのとき、怒らなくてよかったんですか」と聞かれることも、稀にあります。某作家の朗読会に女房と出席したときのこと。家に帰ってから、女房が「あれはどうなのかしらね」と言い出したのです。なんのことかと聞いてみれば、わたしがトイレに立って通路へ抜けようとした際に、隣に座っていた女性編集者が脚を引いて、スペースを空けようとしなかったことが、女房は気になったのだと。当のわたしはというと、「えっ、そうだったかな？」と全然気にしていない。

いいか悪いかは分かりませんが、少なくともストレスを感じにくいことは、確かです。機嫌よくいるために、とりあえずやり過ごす。人のためというより、自分のためにそうしているのです。

争いごとを引き寄せない

どうせ生きるならご機嫌に、できることなら争いごとを避けて、日々を過ごしたい。

多少なりとも、人と関わりながら生きていると、意見の衝突や食い違いが起きるのは、だれにでもあることでしょう。そのときにわたしはまず、争おうとしない。命に関われば別ですが、余程の理由がない限りは、相手に譲る。「これくらいがまんしたって、どうってことはない。トラブルに発展するよりは、ずっとましだ」と考える。つまり、だれかと争うこと自体が時間の無駄であって、一分でも二分でも費やしたくないのです。自分から矛《ほこ》をおさめれば、相手も落ち着きを取りもどす場合がほとんどですし、がまんすれば争いになることは、まずない。

いや、もしかしたらあったかもしれないけれど、すっかり忘れています。「無礼者に説教をしてやった」とうそぶく人の話もときおり耳にしますが、幸いにもわたしは無礼な態度をとられたことがない（もしかして鈍感だっただけ？）。

平和主義が染みついているので、駅のホームでだれかとすれ違いざまにぶつかりそうになったときにも、「おっと失礼！」とすぐに自分から謝る。明らかに相手が悪かったとしても、先んじて謝れば無用なトラブルは起きない。反射的に先に謝罪して、身を守るのです。

自分だけでなく、周りの人が争うのを見るのも好きではないから、ときには仲裁にはいることもありました。

もう二十年近く前になりますが、ある作家の受賞パーティーで、少々無礼なスピーチをした編集者に、「お祝いの席で、そんな話をするんじゃない」と某作家が注意を投げかけ、会場が不穏な空気に包まれた場面がありました。スピーチを終えた編集者がひとこと言おうと、その作家の方に向かおうとしたのを察したわたしは、さっと先回りして作家に声をかけ、「ちょっと話したいことがある」と扉の外へ連れ出しました。さすがに会場の外まで、編集者が追いかけてくることはなく、ことなきを得たのでした。この様子を見ていた大沢在昌《おおさわありまさ》君は、いまだに「あれは見事だった」と褒めてくれます。

年をとったら兄弟仲よく

わたしは三人兄弟の末弟で、上の兄は八十五歳で健在ですが、下の兄は今年

（二〇二一年）の夏、八十一歳で亡くなりました。わたしも年をとるはずですね。

長兄は、東大の農学部を卒業したあと工学部に学士入学して、一級建築士の資格を取得。当時、花形の就職先だった国鉄にはいりましたが、のちに三重大学から誘われて、教授職に就いていました。

身内が言うのもなんですが、長兄は本当に親思いで、親父が八十代後半になると説得して津市の自宅に迎え、亡くなるまで二十年近く、面倒を見てくれました。老老介護もいいところで、親父は長生きしましたから、兄と義姉は大変だったろうと思います。

その点、次男と三男（わたし）は気楽なものでしたから、親父が亡くなったあと、遺産の話を長兄からされたときには、二人して辞退しました。

次兄は、奥さんの家に養子にはいっていたので「おれは別の家の人間なんだから、要らない。二人で分けろ」と言い、わたしは「この中で、一番稼いでいるのは僕だ。受け取る必要はない」と。長兄も「そういうわけにはいかない。

平等に分けるぞ」と言って聞かない。譲り合いでまとまらない、という妙な展開になったわけです。仲のよかった兄弟姉妹が、相続で揉《も》めるとはよく聞く話ですから、うちの場合それと無縁だったのは、幸いでしたね。まあ、蓄財能力のなかった父親のことですから、たいした額じゃなかったですけど。

結局、「一番上の面目が立たないから、ちょっとはもらってくれ」と長兄が折れないものだから、「じゃあ、孫の教育資金としていただくことにする」と、しぶしぶ次兄と同額を受け取ることで、話がつきました。ともかく、お金で揉めずに済んだのは、子どものころ、豊かな暮らしをした経験がないからでしょう。

男兄弟というのは、しょっちゅう会ってべたべたと、頼り合うようなものではありませんね。何かあったときに、ほどよい距離感で協力し合えるくらいが、ちょうどいい。お互いに自立して、それぞれの人生に満足できているというのが、良好な関係を保つ一番の秘訣でしょう。

一生勉強！（いや、道楽気分）

今この本を読んでくださっているあなたが、もしも小説家志望で、実は書き溜めている作品があるのだとしたら、ぜひ今すぐどこかの新人賞に応募してみるよう、おすすめします。

「まだまだ。もっとうまく書けるようになってから……」なんて先延ばしにしているようでは、一生うまくならないでしょう。なんでもそうですが、技術というものは他人の目に晒《さら》され、その反応を受け入れることによって、磨かれていくものだと思います。

自分では気づかなかった問題や、克服すべきポイントを知るために、ちょっとだけ勇気を振り絞って、ひとさまの前に差し出す行動を、とってほしい。自分で、自分の限界を決めるのは、もったいない。書けば書くほど、自分の文体、小説作法が固まっていくものです。

今でも、新しい作品に取りかかるたびに、「今回の作品で取り組むポイントはこれだ！」と自分なりの目標を定めています。本をたくさん、世に出すことができて、おまけに売れたら最高。とはいえ、それよりうれしいのは、自分なりの課題を、乗り越えられたとき。それだけ、腕が上がったことになりますから。

作家の手になる、文章読本のたぐいも、ずいぶん読みました。谷崎潤一郎《たにざきじゅんいちろう》の、『文章読本』などはおすすめです。国語学の研究書も、読み出すと止まらない。文字を使って表現するための知識や、技術を新たに仕入れることができるからです。

「ここはこうした方がいいかな」「今度はこのアプローチでやってみよう」と、だれも試みていないだろう工夫に、トライするのです。文体をまだまだ磨きたいし、読んだ人に「面白い」と喜んでもらいたい。向上したいという気持ちは、小説を書き始めたころから、変わりません。「一生勉強」などと肩肘は張らず、国語学の本をひもとくなど、むしろ趣味道楽の感覚に近い。
作品の善しあしを決めるのは作者自身ではなく、読んでくれる読者たちです。感想を聞き、批評に耳を傾けることで、成長のきっかけをつかむ。わたし自身も、その過程を踏んできました。

駆け出しのころ、開成の先輩だった吉村昭《よしむらあきら》さんから言われた言葉が、ずっと心に残っています。「きみ、原稿を編集者に渡すときには、『何か文章におかしなところがあれば、必ず指摘をしてください』と伝えないとだめだよ。間違って恥をかくのは、編集者ではなく、きみ自身なのだから」。吉村さんほどの方が、そうおっしゃったことにいたく感銘を受け、その教えを今日まで守ってきました。

実際のところ、一冊の本を完成させるには、作家一人の力だけでは、どうにもならないのです。編集者、校閲者、装丁家、営業担当などなど、たくさんの人の力の結集によって成り立つ。言葉の遣い方や語法については、自分なりに知識を蓄積してきた自負があるから、校閲からのチェックがはいると「ぬぬ！」とくることも、なくはありません。しかし、調べてみると「ご指摘の通り」と、素直に認めざるを得ないことも、しばしばあります。謙虚たることの大切さを、経験を重ねるほどに感じるわけです。

一度きりの人生、好きなことを

これからの目標はと聞かれたら、変わらず好きなことに没頭できる人生を送りたい、と答えます。

今年で七十八歳になりますが、父・中一弥は、挿絵画家として生涯仕事を続けて、百四歳まで生きました。デビューは、十七か十八のころだったそうなので、好きな仕事を八十年以上も、続けることができた。妻を早くに亡くしたことは、不幸だったかもしれませんが、画家としてこれほどしあわせな生き方はあるまいと、あこがれに似た感情が湧いてきます。

わたしも、体力と気力が衰えぬ限りは、小説を書き続けていきたい、と思います。書きたい理由は、ただ書きたいから、書くのが楽しいからにすぎません。「わたしの小説によって、世の中を変えたい、よりよくしたい」などという、立派な志は薬にしたくもない、というのが本音です。


誤解を恐れず言うならば、小説には世の中を変える力などない、と思っています。どんな文豪も、世の中を変えるような小説は書いていないし、どんなに素晴らしい大画家も、世の中を変える絵は描いていない。もしも絵画に、世の中を変える力があるとしたら、ピカソの描いた『ゲルニカ』によって、世界から戦争が消滅してもいいはずですが、そうはなっていない。逆に、それによって『ゲルニカ』の価値が、落ちるわけでもない。芸術は、ただ人々の心を豊かにするためのものであって、それ以上でも以下でもない。

むしろ大事にするべきなのは、そのつくり手、そして受け手がともに楽しみを分かち合うこと。人間だけが生み出せる芸術の力で、両方を楽しませることが肝腎なのです。それこそが、尊いのだと思います。

わたしの創造の泉も、いつ尽きるか分かりません。仮に、小説に書きたいと思える題材が尽きたとしても、趣味に埋め尽くされたわたしの日常は、あまり変わらないでしょう。生きるほどに、好奇心が膨らみ、やりたいことが広がっていくから、つい年齢を忘れて先ざきの楽しみまで、計画してしまいます。

自分を暇にさせない、退屈させない。

これからも、わが人生を味わい尽くします。

ご一緒にどうぞ！

本書は、語り下ろしを主として編集したものです。

逢坂 剛（おうさか ごう）

1943年東京都文京区生まれ。開成高校を経て中央大学法学部へ進学。1966年に卒業後、博報堂に勤務する傍ら、執筆活動を行う。17年ほど兼業したのち、社屋が港区芝浦に移転した8カ月後、1997年6月末で31年勤めた同社を早期退職し、神田神保町に仕事場を構え専業作家となる。

1980年「暗殺者グラナダに死す」で第19回オール讀物推理小説新人賞を受賞しデビュー。

1986年『カディスの赤い星』で第96回直木三十五賞、第40回日本推理作家協会賞、第5回日本冒険小説協会大賞受賞。2014年第17回日本ミステリー文学大賞受賞。2015年『平蔵狩り』で第49回吉川英治文学賞受賞。2020年第61回毎日芸術賞受賞。

2001年から2005年まで日本推理作家協会理事長を務めた。著書に〈百舌〉〈イベリア〉〈岡坂神策〉〈御茶ノ水警察署〉〈禿鷹〉〈重蔵始末〉〈道連れ彦輔〉〈火付盗賊改・長谷川平蔵〉などのシリーズの他、西部劇を題材にした『アリゾナ無宿』『最果ての決闘者』、E・T・Aホフマンを取り上げた『鏡影劇場』など多数。

装丁　今井秀之

カバー・表紙写真　キッチンミノル

本文写真

キッチンミノル（P16,P27,P29,P113,P114,P116,P119,P121,P129,P130,P139,P141,P142,P153,P158,P161,P162,P200）

著者提供（P19,P20,P21,P37,P46,P47,P67,P70,P75,P76,P79）

編集部撮影（P171）

化粧扉題字　逢坂剛

編集協力　宮本恵理子

校正　黒木勝己・小川優子・松岡理恵

撮影協力　南海堂書店　ラドリオ

ご機嫌《きげん》剛爺《ごうじい》
人生《じんせい》は、面白《おもしろ》く楽《たの》しく！

2021年10月30日　第1刷発行

著　者　逢坂《おうさか》 剛《ごう》

発行者　樋口尚也

発行所　株式会社集英社
〒101-8050　東京都千代田区一ツ橋2-5-10
電話　編集部 03-3230-6143
読者係 03-3230-6080
販売部 03-3230-6393（書店専用）

印刷所　凸版印刷株式会社

製本所　ナショナル製本協同組合

ISBN978-4-08-788068-7　C0095

LORI NELSON
CHILL WILLS
ARIZONA
OMBSTONE